Dr. Eric Slywitch

alimentação sem carne

guia prático

o primeiro livro brasileiro que ensina como montar sua dieta vegetariana

São Paulo
2010

EDITORA
ALAÚDE

1ª edição em fevereiro de 2010 - Impresso no Brasil

Publisher: Antonio Cestaro
Editora: Alessandra J. Gelman Ruiz
Capa: Walter Cesar Godoy
Projeto gráfico: Ruth Klotzel / Estúdio Infinito
Editoração: Mariana Cotrim
Fotos: Tomaz Vello
impressão e acabamento: Ipsis Gráfica e Editora S/A.

Dados Internacionais de Catalogação na Publicação (CIP)
(Câmara Brasileira do Livro, SP, Brasil)

Slywitch, Eric
Alimentação sem carne : guia prático : o primeiro livro brasileiro que ensina como montar sua dieta vegetariana / Eric Slywitch. -- São Paulo : Alaúde Editorial, 2010.

1. Alimentos - Qualidade 2. Alimentos naturais 3. Carnes - Aspectos da saúde 4. Culinária 5. Culinária vegetariana 6. Natureza - Poder de cura 7. Qualidade de vida 8. Saúde - Aspectos nutricionais 9. Vegetarismo I. Título.

10-00476 CDD-613.262

Índices para catálogo sistemático:
1. Vegetarismo : Alimentação natural : Promoção da saúde 613.262

ISBN 978-85-7881-033-7

***Atenção:** As informações contidas neste livro visam auxiliar o planejamento da dieta, mas não substituem a atuação dos profissionais de saúde que conhecem bem o assunto*

Alaúde Editorial Ltda.©
Rua Hildebrando Thomaz de Carvalho, 60
CEP 04012-120 - São Paulo - SP - Brasil
Fone: (11) 5572-9474 / 5579-6757
www.alaude.com.br
alaude@alaude.com.br

agradecimentos

A todas as pessoas que se opuseram aos meus ideais, desde o início da minha trajetória com a alimentação sem carne. Foi, em parte, por intermédio delas que o fortalecimento dos meus argumentos, embasados cientificamente, se fez necessário. Impossível também seria não agradecer aos que me apoiaram.

Ao amigo irmão Tomaz Vello, pelas fotos cedidas, e à chef Tatiana Cardoso, do Restaurante Moinho de Pedra, pelo arranjo de alguns pratos que estão nesta obra.

A Abel Dias do Val Junior, Ana Carolina Bracht Moura, Fábio de Andrade, Gabriele C. Vilanova, Nicole Hannes Caldeira e Renata Balieiro Takebayashi. Espero que sejam tão atenciosos em suas futuras profissões quanto foram comigo na captação de diversos artigos científicos na Bireme.

dedicatória

Às pessoas que se comprometem voluntariamente, de corpo e alma, com a difusão do vegetarianismo, em especial à Marly Winckler e a todos os integrantes da Sociedade Vegetariana Brasileira (SVB).

A todas as pessoas interessadas em adquirir conhecimentos concretos e imparciais sobre esse assunto.

Espero que este livro seja mais uma ferramenta na difusão do vegetarianismo e que possa trazer amparo a esse pilar (nutrição) do vegetarianismo, que é sempre tão questionado.

sumário

introdução ao vegetarianismo

O que é ser vegetariano?

Ser vegetariano significa ter como princípio não comer produtos que implicaram na morte de qualquer ser do reino animal. Assim, se você parar de comer todo tipo de carne (de boi, frango, peixe, porco, cabrito, moluscos...) você receberá a denominação "vegetariano".

> ***De onde vem a palavra vegetariano?***
> *A palavra vegetariano surgiu do radical latino* vegetus, *que significa* forte, robusto, vigoroso.

Por que uma pessoa se torna vegetariana?

Existem três princípios básicos que podem fazer com que uma pessoa se torne vegetariana: ético, de saúde e ambiental.

1 • Por razão ética

Grande parte das pessoas torna-se vegetariana por considerar que os animais têm o mesmo direito à vida (inclusive completando seu ciclo de existência sem a interferência negativa das atitudes humanas) e à proteção contra o sofrimento que os seres humanos.

No contexto ético também incluímos os motivos religiosos, já que o vegetarianismo faz parte do código de ética de algumas religiões, como o hinduísmo e o adventismo.

2 • Por razão de saúde

Por considerar que a alimentação sem carne traz benefícios à saúde, muitas pessoas tornam-se vegetarianas. Isso já foi demonstrado em inúmeros estudos científicos. Falaremos mais sobre isso adiante neste livro.

3 • Por razão ambiental

Também é motivo de tornar-se vegetariano a consciência de que a criação industrial de animais traz um impacto ambiental negativo, tanto localmente quanto para o planeta como um todo. São diversos os impactos da produção de carne para os recursos naturais e humanos, destacando-se a devastação de florestas, com desertificação do solo, a poluição gerada com consequente contaminação de mananciais aquíferos, distribuição e ocupação de terras e menor geração de empregos.

Encontre informações mais detalhadas sobre vegetarianismo e sobre o impacto ecológico da criação de animais para consumo humano no site da Sociedade Vegetariana Brasileira: www.svb.org.br

Tipos diferentes de dietas vegetarianas

Como foi mencionado, vegetarianos são pessoas que se abstêm de comer carne. Mas alguns adeptos não param por aí, e também deixam de consumir leite e derivados, ovos e outros alimentos de origem animal, como o mel. Portanto, existem diferentes tipos de dietas vegetarianas (veja a tabela Tipos de dietas). De qualquer maneira, todas as dietas vegetarianas possuem dois pontos em comum, que são utilizar alimentos do reino vegetal e jamais ingerir carnes. Resumidamente:

1 • Ovolactovegetarianos: apenas não comem carnes. Esse grupo aceita o consumo de ovos e laticínios, e essa é a opção da maioria dos vegetarianos.

2 • Lactovegetarianos: não comem carnes e nem ovos. Ingerem laticínios, como o nome sugere.

3 • Ovovegetarianos: não comem carnes, leites e laticínios. Ingerem ovos. São poucos os indivíduos que seguem esse padrão alimentar.

4 • Vegetarianos "verdadeiros", ou puros, também conhecidos como veganos ou vegetarianos estritos. Esse grupo não come qualquer alimento derivado de animais (ovos, laticínios, mel, etc.).

Apesar de classificarmos os vegetarianos "verdadeiros" apenas pela alimentação, existe uma diferença entre o vegano e o vegetariano estrito. Geralmente, o vegano também não ingere produtos não-alimentícios provenientes de animais, como lã, couro, seda e pele.

Quando falamos em termos nutricionais, não faz diferença essa subclassificação (vegano ou vegetariano estrito). Assim, neste livro, chamarei de veganos os indivíduos que não se **alimentam** de nenhum derivado animal (não preciso discriminar a opção pelo uso ou não de produtos animais não-alimentícios).

Semivegetariano é considerado o indivíduo que come carne (geralmente branca) em menos de três refeições por semana, esse indivíduo não é vegetariano, mas **onívoro**, que é a pessoa que come qualquer tipo de alimento.

Essa classificação não pode ser seguida ao pé da letra, pois existem ainda diversos subgrupos. Encontraremos, por exemplo, vegetarianos que utilizam apenas alimentos crus (**crudivoristas**). Outras correntes podem ser vegetarianas ou não, como a **macrobiótica**: nessa dieta, os alimentos crus raramente são utilizados, e alguns praticantes admitem a ingestão de carnes brancas (frango ou peixe) esporadicamente. Alguns vegetarianos usam apenas alimentos orgânicos, integrais, e evitam tudo o que é industrializado. Outros não se preocupam tanto com os aspectos de saúde e não fazem discriminação entre integrais e refinados. Há os que não usam adoçantes e nem açúcar refinado. Outros, não ligam para isso. Também existe vegetariano que utiliza álcool e até mesmo cigarro. Há os praticantes de atividades físicas e os sedentários.

A classificação dos grupos serve para que você entenda os principais pontos de atenção nutricional de cada um deles. A ciência também se utiliza dessa classificação para padronizar os estudos, em termos de consequências para a saúde e nutrição, comparando dados sobre onívoros, semivegetarianos, ovolactovegetarianos e veganos.

Importante

Como foi dito, existem diversos tipos de práticas dietéticas vegetarianas, assim como diferentes motivos para uma pessoa se tornar vegetariana. Da mesma maneira, existem vegetarianos coerentes, incoerentes, agradáveis, desagradáveis, "do bem", "do mal", com saúde, com doenças, empregados, desempregados, ricos, pobres, bonitos, feios...

Não discrimine o vegetariano como membro de um grupo de pessoas robotizadas, que têm os mesmos hábitos, pensamentos e atitudes. As pessoas são diferentes! A diversidade de comportamento, crenças e atitudes está presente em todos os grupos. Isso é intrínseco à natureza humana.

A dieta vegetariana traz benefícios à saúde?

Existem muitos artigos científicos publicados a respeito da saúde dos vegetarianos. O objetivo deste livro não é esgotar esse assunto, mas, apenas para matar a curiosidade, vou descrever, resumidamente, algumas informações da revisão realizada pela Associação Dietética Norte-americana (American Dietetic Association) e pela Associação de Nutricionistas do Canadá, publicada em 2003. O relatório apresenta os seguintes dados:

- Redução das **mortes por infarto** em vegetarianos: 31% em homens e 20% em mulheres, em comparação aos onívoros.
- Menor **mortalidade por doença cardíaca** nos vegetarianos em comparação aos semivegetarianos (no estudo, considerados como consumidores de carne uma vez por semana).
- Os níveis sanguíneos de **colesterol** são geralmente 14% mais baixos em ovolactovegetarianos e 35% mais baixos em veganos que nas pessoas que comem carne.
- Menor **pressão arterial** (redução de 5 a 10 mmHg) é observada nos vegetarianos.
- Os vegetarianos têm redução de até 50% do risco de apresentar **diverticulite** (uma doença que atinge principalmente o intestino grosso).

TIPOS DE DIETAS	Alimentos utilizados			
	Carnes	Ovos	Laticínios	Cereais, leguminosas, oleaginosas, sementes, amiláceos, frutas, legumes e verduras
Ovolactovegetariana	Não	Sim	Sim	Sim
Lactovegetariana	Não	Não	Sim	Sim
Ovovegetariana	Não	Sim	Não	Sim
Vegana	Não	Não	Não	Sim
Semivegetariana	Sim	Sim	Sim	Sim
Onívora	Sim	Sim	Sim	Sim

- O risco de apresentar **diabetes** é 50% menor nos vegetarianos.
- A probabilidade de apresentar **pedras na vesícula** nas mulheres vegetarianas é duas vezes menor que entre as onívoras.
- A redução da incidência de **obesidade,** um problema mundialmente preocupante, é clara entre os vegetarianos.
- O consumo de carne vermelha ou branca está associado a um risco 88% maior de se desenvolver **câncer do intestino grosso.** Também significa risco 54% maior de desenvolver **câncer de próstata.**

A dieta vegetariana é adequada nutricionalmente?

Uma alimentação adequada é aquela que fornece todos os nutrientes necessários para a manutenção da saúde, sem falta nem excessos. Além disso, a dieta pode ser muito mais saudável se contemplar a utilização dos **prebióticos** e fitoquímicos (que são diversos compostos benéficos presentes naturalmente nos alimentos vegetais e que podem modular o funcionamento do organismo).

Prebióticos são compostos presentes em diversos alimentos e com propriedades semelhantes às das fibras, como a redução dos níveis de colesterol. Eles estimulam o crescimento de espécies benéficas de bactérias no intestino, como bifidobactérias e lactobacilos.

Como em qualquer dieta, a adequação nutricional dependerá da escolha dos alimentos que fornecem esses nutrientes. Não há mais dúvidas de que a dieta vegetariana, inclusive a vegana, bem planejada, é adequada. A posição da American Dietetic Association (ADA) desde 1993 é de que dietas vegetarianas apropriadamente planejadas são saudáveis e adequadas em termos nutricionais. A ADA afirma: "Dietas veganas e ovolactovegetarianas bem planejadas são adequadas a todos os estágios do ciclo vital, inclusive durante a gravidez e a lactação. Dietas veganas e ovolactovegetarianas adequadamente planejadas satisfazem as necessidades nutricionais de bebês, crianças e adolescentes e promovem o crescimento normal".

Em 2003, a ADA, em conjunto com a Associação de Nutricionistas do Canadá, publicou um novo parecer, em que essas afirmações são mantidas. Nele, está incluída a seguinte orientação: "Os profissionais da nutrição têm a responsabilidade de apoiar e encorajar os que demonstram interesse pelo consumo de uma dieta vegetariana".

O vegetarianismo também é apoiado ou incentivado pela American Heart Association (AHA), a Food and Drug Administration (FDA), o Departamento de Agricultura dos Estados Unidos (USDA), a Kids Health (Nemours Foundation) e o College of Family and Consumer Sciences (University of Georgia) dos Estados Unidos, dentre outros. No Brasil, a Sociedade Vegetariana Brasileira (SVB), uma entidade sem fins lucrativos, direciona seu trabalho para a promoção do vegetarianismo e para a difusão de informações coerentes a respeito do assunto, fornecendo dados para a adoção do vegetarianismo com consciência.

A dieta vegetariana é estrita ou restrita?
Algumas pessoas pensam que, pelo fato de menos grupos alimentares serem utilizados no cardápio vegetariano, a dieta se torna mais pobre. Isso não é verdade! Os alimentos usados para a obtenção dos nutrientes em uma dieta vegana são muito mais diversificados que os utilizados por onívoros. Isso demonstra que a dieta vegana (estrita) não é restrita. No capítulo referente à elaboração do cardápio, isso será exposto de forma bastante nítida.

Existem cuidados especiais ao se adotar a dieta vegetariana?
Na dieta ovolactovegetariana e na lactovegetariana bem planejadas, todos os nutrientes podem ser obtidos adequadamente sem suplementação nenhuma. A vitamina B12 é o único nutriente que pode estar insuficiente em uma alimentação vegana (vegetariana estrita), mesmo se bem planejada. No capítulo sobre a vitamina B12, isso será detalhadamente mostrado.

O consumo de nutrientes na dieta vegetariana

Para que não se tenha mais dúvidas de que a dieta vegetariana é adequada nutricionalmente, revisei mais de 250 trabalhos científicos sobre a ingestão de nutrientes por vegetarianos e onívoros em diversos países. Exporei a seguir informações sobre os nutrientes analisados nesses estudos, com exceção dos que receberam capítulos especiais neste livro.

1 • Energia

Os nutrientes da alimentação que fornecem energia (calorias) ao indivíduo são chamados de **macronutrientes.** Eles são o **carboidrato** (4 kcal/g), a proteína, animal ou vegetal (4 kcal/g), e a **gordura** (9 kcal/g). Em geral, recomenda-se que aproximadamente 60% da refeição seja composta de carboidratos, 15% de proteínas e 25% de gorduras. Diversos autores consideram que a dieta vegetariana é mais adequada para se atingir as recomendações de percentuais dos macronutrientes.

A maioria dos estudos mostra que os onívoros ingerem mais calorias que os vegetarianos. É provavelmente por esse motivo que se encontram mais obesos no grupo de onívoros — em outra oportunidade, discorrerei sobre obesidade mais a fundo. Por ingerirem mais alimentos vegetais, o consumo de fibras entre os vegetarianos costuma ser maior, podendo ser essa uma das possíveis explicações para a menor ingestão de energia entre os vegetarianos: as fibras interferem na saciedade de diversas formas e também na absorção de gorduras.

Por outro lado, também é possível para um vegetariano aumentar a ingestão de nutrientes até o ponto de ultrapassar a quantidade de calorias ingeridas por um onívoro. Ou seja, o consumo de calorias ou o risco de obesidade depende das escolhas dos alimentos e da quantidade deles, e não do simples fato de se escolher entre ser vegetariano ou ser onívoro.

Os vegetarianos ingerem percentualmente mais carboidratos que os onívoros. Isso é benéfico e inclusive mais adequado à prática de atividades físicas. Além disso, geralmente os carboidratos ingeridos na dieta vegetariana são do tipo complexo (presentes em alimentos não processados), o que torna sua absorção mais lenta: eles fazem o açúcar do sangue (glicemia) se elevar menos. Os carboidratos complexos são, por isso, recomendados aos diabéticos.

Os vegetarianos ingerem menos gorduras que os onívoros, mas, diferentemente do que muitos pensam, a dieta vegetariana não é pobre em gordura (lipídios). Na verdade, as dietas vegetarianas apresentam menos gordura saturada e mais gordura do tipo poli-insaturada que a onívora. Falarei sobre isso no capítulo sobre ômega-3, que é um ácido graxo muito importante para a saúde. E discorrerei a respeito da ingestão de proteínas (vegetais) pelos vegetarianos no capítulo sobre proteínas.

2 • Fibras

Fibras alimentares são compostos de origem vegetal que não são absorvidos pelo organismo. Elas são muito importantes para a saúde por terem poder de regular o trânsito intestinal e alterar a absorção de alguns nutrientes (especialmente gorduras) e compostos tóxicos ao organismo. As fibras também têm a capacidade de modificar a flora intestinal e aumentar a saciedade.

Por ingerirem muito mais alimentos de origem vegetal, os vegetarianos comem mais fibras que os onívoros, algumas vezes mais que o dobro. A dieta onívora quase sempre está associada a um baixo consumo de fibras e quase nunca atinge o valor recomendado se não forem utilizados alimentos integrais.

Os alimentos integrais fornecem quantidade maior de fibras e de diversos micronutrientes, quando comparados aos refinados.

3 • Micronutrientes

Existem nutrientes que são essenciais para a saúde, mas que são exigidos pelo organismo em quantidade bem pequena. Por isso, eles são chamados de micronutrientes. Vitaminas e minerais são considerados micronutrientes, e, ao contrário dos macronutrientes, não fornecem energia. Portanto, vitaminas e minerais não engordam!

Vitaminas são compostos necessários para diversas funções no organismo. Como não conseguimos produzi-las, devemos obtê-las por intermédio da alimentação. Existem vários tipos de vitaminas, com diferentes funções no organismo.

De forma geral, o que chama a atenção sobre a ingestão de vitaminas em vegetarianos é o fato de que algumas delas quase sempre são ingeridas em quantidades significativamente maiores que nos onívoros. São elas: vitamina C, E, betacaroteno (que é precursora da vitamina A) e ácido fólico (também chamada de vitamina B9). Isso quer dizer que, entre pessoas que se abstêm de comer carne, costuma ocorrer aumento do consumo desses nutrientes. Uma nítida vantagem dessa maior ingestão é o maior poder de neutralização de radicais livres (compostos deletérios ao organismo, implicados no surgimento e na progressão de diversas doenças e no envelhecimento) nos vegetarianos, o que já foi comprovado por diversos estudos.

Quanto às demais vitaminas, as quantidades ingeridas costumam ser mais variáveis, mas também dependem das escolhas dietéticas. É perfeitamente possível, tanto para onívoros como para vegetarianos, ingerir mais ou menos vitaminas que o necessário. Os vegetarianos não apresentam risco maior que os onívoros de deficiência vitamínica, exceto em relação à vitamina B12.

Assim como as vitaminas, necessitamos ingerir diversos **minerais**, pois não temos a capacidade de produzi-los. Eles são fundamentais em inúmeras funções orgânicas. Os diferentes minerais podem ser obtidos em quantidades adequadas tanto pela dieta vegetariana como pela onívora.

Alguns desses minerais merecem considerações especiais: o selênio, que é importantíssimo para o sistema antioxidante do organismo, o sódio, que participa da manutenção do equilíbrio de água, e o iodo, essencial para o funcionamento da glândula tireoide.

A ingestão de **selênio** deve ser sempre priorizada em vegetarianos e em onívoros. O teor de selênio do vegetal depende do teor do mineral encontrado no solo. Os alimentos cultivados no norte, sul e litoral do Brasil possuem melhor teor de selênio, pois o solo, nessas regiões, é mais rico desse mineral, enquanto as regiões Sudeste e Centro-Oeste têm solo mais pobre em selênio.

Uma castanha-do-pará contém 60 mcg de selênio e é suficiente para ultrapassar as necessidades diárias (55 mcg) do adulto. O uso de suplementos também é uma maneira segura de obter esse mineral.

A ingestão de **sódio** deve ser controlada, já que seu excesso pode provocar hipertensão em alguns indivíduos. Além disso, o excesso de sódio é excretado pela urina, carregando junto com ele o cálcio. Onívoros e também vegetarianos ingerem frequentemente mais sal que o necessário (o máximo recomendado é 2.300 mg de sódio por dia, o que equivale a 5,75 g, de sal de cozinha comum, ou uma colher de sopa rasa). A população brasileira e mundial ingere muito mais sódio do que necessita.

Os alimentos ricos em **iodo** são os cultivados próximos ao mar ou provenientes dele (peixes, algas). Os vegetarianos que comem algas apresentam alta ingestão de iodo. O pão também pode ser fonte do nutriente, pois alguns estabilizadores de massa contêm iodo.

Alguns estudos internacionais mostraram baixa ingestão de iodo por veganos que não consomem sal iodado. No Brasil, não há motivo para nos preocuparmos, já que a legislação obriga a adição de 20 a 60 mg de iodo por kg de sal destinado ao consumo humano. Isso significa que, ao se usar de 2,5 a 7,5 g de sal comum por dia, as necessidades de iodo (150 mcg/dia) são supridas com segurança. Lembre-se de que uma colher de sopa de sal equivale a aproximadamente 6 g de sal. O produto que não recebe iodo deve conter no rótulo a mensagem: "Contém sal não iodado". Essa medida é adotada pelo fato de a deficiência de iodo (mais comum em regiões distantes do litoral) causar aumento da incidência de deficiência mental (cretinismo) em crianças, menor capacidade de concentração e aprendizado, redução de fertilidade, abortos, malformação congênita, parto prematuro, maior índice de mortalidade infantil e bócio ("papo").

A norma que obriga a adição de iodo ao sal de cozinha no Brasil é a Resolução RDC nº 32, de 25 de fevereiro de 2003, da Agência Nacional de Vigilância Sanitária. O sal marinho integral também está sujeito a essa legislação.

Conclusões

A dieta vegetariana pode fornecer todos os nutrientes necessários para a saúde.

A ingestão calórica dos vegetarianos costuma ser menor, mas a maioria das vitaminas e minerais é ingerida, pelos vegetarianos em quantidade igual ou maior que a ingerida pelos onívoros. Isso traduz uma melhor qualidade de alimentos utilizados pelos vegetarianos.

Não é o uso da carne e nem dos produtos derivados de animais que faz a diferença na obtenção desses nutrientes, mas sim a forma de escolher os alimentos vegetais.

Lembre-se: a escolha dos alimentos que você vai ingerir é o que fará a sua dieta mais ou menos adequada.

como planejar a refeição vegetariana

A botânica e a nutrição

Refeição: esse é um dos assuntos sobre o qual o iniciante tem mais dúvidas. "Como e o que vou comer ao me tornar vegetariano?". Para abordarmos esse assunto, devemos inicialmente conhecer os alimentos.

Existem muitos organismos vivos que podem nos fornecer alimentos na natureza, e eles estão classificados em cinco reinos: *Monera* (bactérias e cianofíceas), *Protista* (unicelulares incluindo algumas algas e o plâncton marinho), *Fungi* (fungos), *Animalia* (animais) e *Plantae* (vegetais). Podemos dizer que os vegetarianos são pessoas que não ingerem organismos vivos provenientes do reino *Animalia*, e que comem, principalmente, alimentos **do reino vegetal** (reino *Plantae*). A classificação biológica (da botânica) pode ser vista na tabela **Reinos** a seguir.

Mas a classificação botânica não serve para a nutrição. Na botânica, a banana e o arroz, por exemplo, são frutos, mas suas características nutricionais são completamente

REINOS	O que se ingere	Exemplos de alimentos ingeridos pelo ser humano
Monera	Tudo	*Lactobacillus* e espirulina (cianofícea)
Protista	Tudo	Algas: *nori, kombu, wakame* e outras
Fungi	Tudo	Cogumelos: *champignon, shimeji, shiitake* etc.
Animalia	Músculo, pele e vísceras	Vaca, porco, frango, peixe, *escargot* e outros
	Derivados	Ovos, leite e seus derivados, como o queijo, mel
Plantae	Raiz	Mandioca, batata-doce, beterraba, cenoura, mandioquinha (batata-baroa ou batata-salsa), nabo, rabanete, etc.
	Caule	Batata-inglesa (batatinha comum), cará, inhame, gengibre, palmito, aspargo, couve-de-bruxelas, cebola, alho, canela (casca), cana-de-açúcar, cúrcuma, etc.
	Folha	Alface, agrião (folha e caule), almeirão, acelga, chicória, rúcula, couve, salsão, repolho, mostarda, erva-doce (pecíolo), aipo e salsão (pecíolo), espinafre, salsa, cebolinha, alecrim, alfavaca, basilicão, coentro, hortelã, louro, manjericão, orégano, tomilho, erva-mate, erva-cidreira, etc.
	Flor	Couve-flor, brócolis, flor de abobreira, cravo, açafrão, alcachofra, camomila, etc.
	Fruto	Abobrinha, maxixe, tomate, beringela, jiló, pepino, pimentão, vagens de feijões e de ervilhas, chuchu, abóbora, quiabo, pimenta-do-reino, pimentas (de cheiro, malagueta, cumarim), funcho, anis-estrelado, azeitona, etc.
		Abacate, ameixa, banana, caqui, carambola, cereja, goiaba, jabuticaba, laranja, manga, mamão, mexerica, poncã, tangerina, nectarina, pêssego, pitanga, quiuí, uva, melancia, maçã, pera, morango, pinha (fruta-do-conde), graviola, caju (polpa), abacaxi, figo, etc.
		Grãos de cereais (são frutos que contêm as sementes, que ocupam a maior parte do grão): arroz, trigo, milho, centeio, cevada, aveia, etc.
	Semente	Leguminosas: amendoim, ervilha, feijão comum, grão-de-bico, lentilha, soja, tremoço. Sementes de abóbora, de castanha-de-caju e de girassol, amêndoas, avelãs, castanha-do-pará, castanha-europeia, nozes, cominho, semente de mostarda, noz-moscada, gergelim, papoula, urucum (colorau), café, pinhão, etc.

diferentes. Assim, pensando em termos nutricionais, há muita diferença se considerarmos alguns alimentos como parte da mesma estrutura da planta. Por isso, a nutrição modifica a classificação botânica dos alimentos para facilitar a distribuição dos grupos de acordo com as propriedades nutricionais similares .

Portanto, devemos conversar sobre a classificação nutricional (e não botânica) dos alimentos. Eles estão dispostos no que chamamos de grupos alimentares. A "pirâmide alimentar" é uma representação gráfica desses grupos alimentares para orientar a elaboração das refeições.

Os guias alimentares

O primeiro guia alimentar da história foi publicado pelo Departamento de Agricultura dos Estados Unidos da América (USDA) em 1916. Nessa época, eram conhecidos apenas 13 nutrientes (seis minerais, quatro aminoácidos e três vitaminas). Em 1950, já se conheciam 35 nutrientes.

Na época da Segunda Guerra Mundial (década de 1940), foi observado que muitos norte-americanos apresentavam deficiências nutricionais. Assim, foram criadas recomendações para o planejamento de uma dieta mais segura. Essas recomendações foram denominadas RDA (*Recommended Dietary Allowance*, ou Recomendação de Ingestão Dietética).

Com o passar do tempo, esses valores de recomendações ganharam diversos usos, como a rotulagem de alimentos e o planejamento de guias nutricionais. Diversas revisões foram realizadas com o passar dos anos, o que culminou com a criação de dados que chamamos de *Dietary Reference Intakes* (DRI). Essas novas diretrizes, todas elas baseadas em valores de ingestão de nutrientes, foram estabelecidas não apenas com o objetivo de prevenir carências nutricionais, mas também doenças crônicas não-transmissíveis e os riscos de toxicidade. **As DRI são as recomendações aceitas atualmente e adotadas neste livro.** São as nossas referências para ingestão dietética.

Os valores das DRI são propostos para indivíduos saudáveis, e não para doentes.

A tabela de **necessidade de nutrientes** a seguir, mostra a quantidade mínima de nutrientes que devemos ingerir diariamente.

Curiosidade: apenas em 1992 é que os efeitos da hiperalimentação e da obesidade foram considerados nocivos. **Foi também apenas em 1992 que se deu ênfase à importância dos alimentos de origem vegetal na alimentação saudável.**

O Brasil, em 2005, publicou o Guia Alimentar para a População Brasileira, que orienta a adoção de dietas saudáveis, porém se baseia em porções de alimentos, e não em quantidades exatas de nutrientes. O guia reconhece o papel de dietas diversificadas, compostas de grande variedade de alimentos de origem vegetal, para a proteção contra doenças.

NECESSIDADE DE NUTRIENTES PARA ADULTOS		
Nutriente	**Homens**	**Mulheres**
Vitaminas		
E	15 mg	15 mg
K	120 mcg	90 mcg
A	900 mcg	700 mcg
D	5 mcg	5 mcg
C	90 mg	75 mg
Tiamina (B1)	1,2 mg	1,1 mg
Riboflavina (B2)	1,3 mg	1,1 mg
Niacina (B3)	16 mg	14 mg
Ácido pantotênico (B5)	5 mg	5 mg
Piridoxina (B6)	1,3 mg	1,3 mg
Folato (B9)	400 mcg	400 mcg
Cobalamina (B12)	2,4 mcg	2,4 mcg
Biotina	30 mcg	30 mcg
Colina	550 mg	425 mg
Minerais		
Sódio	1,5 g	1,5 g
Potássio	4,7 g	4,7 g
Cálcio	1.000 mg	1.000 mg
Cromo	35 mcg	25 mcg
Cobre	900 mcg	900 mcg
Flúor	4 mg	3 mg
Iodo	150 mcg	150 mcg
Ferro	8 mg	18 mg
Magnésio	420 mg	320 mg
Fósforo	700 mg	700 mg
Selênio	55 mcg	55 mcg
Zinco	11 mg	8 mg
Macronutrientes		
Proteínas	0,8 g/kg* (10 a 35%)	0,8 g/kg* (10 a 35%)
Carboidratos	45 a 65%	45 a 65%
Gorduras	25 a 35%	25 a 35%
Ômega-6	17 g (5 a 10%)	12 g (5 a 10%)
Ômega-3	1,6 g (0,6 a 1,2%)	1,1 g (0,6 a 1,2%)
Saturadas, colesterol	O menos possível	O menos possível
Outros		
Fibras	38 g	25 g
Água	3,7 litros	2,7 litros

*de peso corpóreo.
As porcentagens referem-se às calorias diárias totais.

Os grupos alimentares para vegetarianos

As orientações alimentares apresentam os alimentos dispostos em grupos para que você monte seu cardápio com facilidade. Atenção: a classificação de alimentos descrita a seguir é estruturada para vegetarianos, e é bastante diferente da utilizada para onívoros. Veja a tabela **Grupos alimentares para vegetarianos** a seguir.

1 • Grupo dos grãos (cereais)

É recomendado que o consumo de alimentos desse grupo seja sempre composto por alimentos integrais. O uso de cereais refinados (fortificados) deve ser reservado para situações nas quais há intenção de aumentar a ingestão calórica. Isso, às vezes, pode ser interessante para crianças. Vamos lembrar que as fibras (presente nos alimentos integrais) promovem maior saciedade, mas não aumentam o valor calórico da refeição.

E atenção: quando falo de alimentos integrais, não me refiro apenas ao pão e ao macarrão integrais, mas sim aos grãos do trigo, do centeio, da aveia... Atenção: grande parte dos pães integrais encontrados no mercado contém uma quantidade vergonhosamente pequena de farinha integral.

Cereais podem ser refinados ou integrais. O refinamento objetiva modificar a textura do grão e também aumentar sua durabilidade (tempo de estocagem). No processo de refinamento, há remoção de fibra dietética, ferro, zinco e diversas vitaminas do complexo B.

O enriquecimento industrial de produtos refinados (por meio da adição de vitaminas e minerais) é uma prática mais comum nos Estados Unidos. No Brasil, encontramos basicamente o enriquecimento da farinha de trigo com ferro e ácido fólico. As fibras não são utilizadas para enriquecimento dos produtos refinados.

2 • Grupo dos alimentos ricos em proteína

Os derivados do leite estão contidos no grupo dos alimentos ricos em proteínas, para os vegetarianos que utilizam derivados animais. Portanto, o "grupo do leite", que, para os onívoros, é um grupo à parte, foi integrado ao "grupo de alimentos ricos em proteínas" para os vegetarianos.

Recomenda-se que a escolha do leite ou derivado, para os que os utilizam, sejam dos produtos com menor teor de gorduras, já que a oferta de cálcio é a mesma, independentemente da oferta de gordura. Os feijões são considerados tão benéficos para a saúde que devem ser utilizados de qualquer forma, mesmo que o indivíduo já tenha outras fontes proteicas, como a carne (para os onívoros), em sua alimentação. No Brasil, por causa do hábito alimentar da nossa população, o feijão é bastante utilizado.

O Departamento de Agricultura dos Estados Unidos considera que os feijões e ervilhas fornecem tanto ferro, zinco e proteínas quanto as carnes (boi, frango e peixe). Além disso, os feijões fornecem fibras insolúveis, que estão ausentes nas carnes.

3 • Grupo das hortaliças

As verduras, os legumes e os vegetais amiláceos compõem o grupo das hortaliças. Dentre esses alimentos, é recomendado dar preferência, em primeiro lugar, aos vegetais verde-escuros e, depois, aos de cor alaranjada, para otimizar a ingestão de ferro, cálcio e vitamina A.

4 • Grupo das frutas

O grupo das frutas contém as frutas frescas, desidratadas e seus sucos.

5 • Grupo dos óleos

O grupo dos óleos é formado para reunir óleos e gorduras. A importância desse grupo está no fornecimento de energia e de dois tipos de lipídios de que nosso organismo necessita, mas que não consegue produzir: os ácidos graxos ômega-3 e ômega-6. No caso dos vegetarianos, a orientação é direcionada para buscar alimentos com mais teor de ômega-3. Exporei mais detalhadamente a respeito no capítulo sobre o ômega-3.

GRUPOS ALIMENTARES PARA VEGETARIANOS

Grãos (cereais)

Cereais integrais em grãos

Arroz integral
Aveia
Centeio
Cevada
Milho
Painço
Quinua real
Trigo
Trigo sarraceno
Amaranto
Triticale
Sorgo

Derivados de cereais integrais

Aveia em flocos
Farelo de trigo
Farinha de centeio, de trigo
Fubá, flocos de milho
Germe de trigo
Macarrão de trigo integral, soba, etc.
Müsli
Pão de centeio, trigo integral
Pipoca

Cereais refinados

Arroz branco
Farinha branca
Macarrão
Pão branco

Óleos

Óleos

Canola
Coco
Gergelim
Girassol
Linhaça
Milho
Oliva
Soja

Gorduras

Gordura vegetal hidrogenada
Manteiga
Margarina

Podem ser substituídos por:

Abacate
Azeitonas
Oleaginosas
Sementes
Derivados de sementes e oleaginosas

Alimentos ricos em proteína

Feijões (Leguminosas)

Azuki
Branco
Carioca
Ervilha seca
Fava
Grão-de-bico
Lentilha
Preto
Rosinha
Soja
Todos os outros (jalo, amarelo, bolinha...)

Derivados de soja

Aguê
Tofu
Leite de soja

Oleaginosas

Amêndoa
Amendoim
Avelã
Castanha-de-caju
Castanha-do-pará
Noz
Pinhão
Pistache

Sementes

Abóbora
Gergelim
Girassol
Linhaça
Melancia

Derivados de sementes e oleaginosas

Tahine
Pasta de amêndoas amendoim

Leite e Iogurte

Iogurte
Leite de cabra
Leite de vaca

Queijos

Gorgonzola
Mozarela
Parmesão
Prato
Provolone
Ricota
Suíço
Outros

Ovos

De galinha, codorna, pato, peixe...

Hortaliças

Verduras

Acelga
Agrião
Alcachofra
Alface
Almeirão
Brócolis
Broto
Chicória
Couve manteiga
Couve-de-bruxelas
Couve-flor
Espinafre
Mostarda
Repolho chinês (*pak-choi*)
Repolho
Rúcula
Salsão
Algas*

Legumes

Abóbora
Abobrinha
Aspargo
Bardana
Berinjela
Beterraba
Cenoura
Chuchu
Ervilha verde
Jiló
Maxixe
Nabo
Palmito
Pepino
Pimentão
Quiabo
Rabanete
Tomate
Vagem crua
Cogumelos*

Amiláceos

Batata-baroa (mandioquinha)
Batata-doce
Batata-inglesa
Cará
Castanha portuguesa
Inhame
Mandioca
Yakon

Frutas

Frutas frescas

Abacate
Abacaxi
Abio
Açaí
Acerola
Ameixa
Amora
Banana
Caju
Caqui
Carambola
Cereja
Damasco
Figo
Goiaba
Jaca
Jaboticaba
Kiwi
Laranja
Limão
Maçã
Mamão
Manga
Maracujá
Marmelo
Melancia
Melão
Morango
Nêspera
Pera
Pêssego
Pitanga
Pitaia
Romã
Sapoti
Tamarindo
Tangerina
Uvas

Frutas secas

Banana
Caqui
Damasco
Figo
Pêssego
Tâmara
Uva passa

*Cogumelos e algas não são vegetais, mas têm características nutricionais que os aproximam do grupo das hortaliças

As porções dos grupos alimentares

Seria bastante preciso se planejássemos uma refeição indicando para a pessoa a quantidade em gramas que ela deveria ingerir de cada alimento para atingir as necessidades de nutrientes. Mas, como nem todo mundo possui uma balança precisa em casa, cumprir a recomendação seria um tanto difícil. Assim, a quantidade de alimentos também pode ser descrita com medidas caseiras (xícara, colher de sopa, fatia, etc.). Todas as medidas caseiras equivalem a uma quantidade em gramas predeterminada.

Você encontrará com frequência nas recomendações o valor de 28 g. Isso se deve ao fato de os norte-americanos utilizarem uma medida de peso chamada onça, que equivale a 28,39 g.

Para estabelecer a quantidade de alimentos de cada grupo que se deve utilizar, é usado o termo "porção". Observe a tabela **Porções** na página 22. Cada linha equivale a uma porção. Com esses dados em mãos, montaremos com segurança nosso cardápio vegetariano.

Elaborando o cardápio vegetariano

Pelo de muitos vegetarianos utilizarem alimentos incomuns à maioria dos onívoros, foi necessário que se estabelecesse uma orientação específica direcionada a eles. Essa orientação visa a adequação a todos os diferentes tipos de dietas vegetarianas.

O Novo Guia Alimentar Para Vegetarianos Norte-Americanos (*A New Food Guide for North American Vegetarians*) é um artigo científico que foi utilizado como base para essa elaboração. Ele estabelece um cardápio com porções mínimas definidas (veja a tabela **Porções mínimas diárias**), que fornecem entre 1.400 e 1.500 kcal por dia para uma pessoa adulta. Esse valor calórico é insuficiente para a maioria das pessoas, principalmente homens, que podem chegar a ingerir mais de 3.000 kcal. Por isso, uma vez tendo atingido essa quantidade mínima, por meio das porções estabelecidas, você deverá acrescentar alimentos provenientes de quaisquer outros grupos. É apenas recomendado que esse acréscimo não seja feito com base em doces, alimentos gordurosos (gorduras e queijos gordurosos) ou álcool. O ideal é que você tenha uma ingestão mais direcionada aos cereais (grupo dos grãos), feijões (grupo dos alimentos proteicos), grupos da frutas e das hortaliças.

PORÇÕES MÍNIMAS DIÁRIAS	
Grãos (cereais)	6
Alimentos ricos em proteína	5
Hortaliças	4
Frutas	2
Óleos	2

Para transformar as porções (tabela **Porções mínimas diárias**) em quantidade de alimentos, você deve utilizar a tabela **Porções**. Lembre-se que essa quantidade é referente à ingestão de alimentos em 24 horas. Se o indivíduo faz uso de ovos ou leite, basta inserir esses alimentos na contagem das porções utilizadas dos alimentos ricos em proteína. Veja a tabela **Exemplo,** que contém uma orientação vegana. Nesse exemplo, foram escolhidos os ali-

PORÇÕES

Quantidade dos alimentos que equivalem a 1 porção — 1 xícara = 250 ml

Grãos (cereais)

- 1 fatia de pão (integral)
- 5 *cream crackers*
- 1/2 xícara de cereais cozidos
- 28 g de cereais crus em grãos
- 1/2 xícara de mingau de aveia
- 3 xícaras de pipoca (estourada)
- 1 xícara de ceral instantâneo em flocos
- 1/2 xícara de macarrão cozido
- 28 g de macarrão cru
- 1 xícara de grãos de milho
- 1 milho (8 a 9 centímetros)

Frutas

- 1 maçã pequena
- 1/2 maçã grande
- 1 banana (8 a 9 cm)
- 1 xícara de banana picada
- 1 xícara de melão picado
- 32 uvas sem semente
- 1 xícara de uvas
- 1 *grapefruit* médio
- 1 xícara de salada de frutas
- 1 laranja grande
- 1 xícara de laranja picada
- 1 pêssego grande
- 1 xícara de pêssego picado
- 1 pera média
- 1 xícara de pera picada
- 1 xícara de abacaxi picado
- 1 xícara de ameixa crua
- 2 ameixas grandes
- 8 morangos
- 1 copo de suco

(sem água)

- 1/2 xícara de frutas secas

Alimentos ricos em proteína

- 1 ovo

Sementes e oleaginosas

- 14 g de sementes (abóbora, girassol...)
- 12 amêndoas
- 24 pistaches
- 7 metades de nozes (1/4 xícara)
- 2 colheres de sopa de "manteiga" de oleaginosas
- 2 colheres de sopa de tahine

Leguminosas

- 1/2 xícara de feijões cozidos
- 1/2 xícara de *tofu*
- 28 g de *tempeh*
- 2 colheres de sopa de *homus*

Leite e derivados

- 1 xícara de leite
- 1 xícara de iogurte
- 1 fatia de queijo "duro"
- 1/2 xícara de ricota
- 2 xícaras de queijo *cottage*
- 1 e 1/2 xícara de sorvete

Hortaliças

Vegetais verdes

- 1 xícara de brócoli picado
- 1 xícara de folhas cozidas
- 2 xícaras de folhas cruas

Vegetais alaranjados

- 2 cenouras médias
- 1 xícara de cenoura picada (crua ou cozida)
- 1 xícara de abóbora amassada
- 1 batata-doce grande, cozida
- 1 xícara de batata-doce picada ou amassada

Vegetais amiláceos

- 1 xícara de amiláceos
- 1 batata média

Outros vegetais

- 1 xícara de broto de feijão cozido
- 1 xícara de repolho cozido ou cru
- 1 xícara de couve-flor picada
- 1 xícara de talo de salsão picado
- 1 xícara de pepino
- 1 xícara de pimentão picado
- 2 xícaras de folhas de alface crua
- 1 xícara de cogumelos* crus ou cozidos
- 1 xícara de cebola
- 1 tomate grande

Óleos

- 1 colher de chá de óleo de linhaça
- 3 colheres de chá (15 ml) de óleo de soja ou canola
- 1 colher de sopa de semente de linhaça
- 1/4 de xícara (60 ml) de nozes
- 3 colheres de chá de óleos vegetais (14 g) = 1 colher de sopa
- 2 e 1/2 colheres de chá de margarina (11 g) = 1 colher de sopa
- 2 e 1/2 colheres de chá de maionese (11 g) = 1 colher de sopa
- 8 azeitonas grandes = 1 colher de chá de óleo
- 1/2 abacate (tipo avocado) médio = 3 colheres de chá de óleo (15 g)
- 28 g de oleaginosas = 3 colheres de chá (15 g) de oleaginosas
- 28 g de sementes = 3 colheres de chá de óleo (14 g)

*Cogumelos não são vegetais, mas têm características nutricionais que os aproximam do grupo das hortaliças.

mentos mais ricos em minerais (cálcio, ferro e zinco) e colocados os valores atingidos dos diversos nutrientes, sobre os quais conversaremos nos próximos capítulos.

Siga as dicas para a elaboração da dieta vegetariana saudável:

- Exercite-se! Atividade física regular é fundamental para o bom funcionamento do organismo e está envolvida diretamente na utilização dos nutrientes utilizados.
- Escolha alimentos variados para compor sua alimentação.
- Lembre-se de que a quantidade de alimentos mostrados na tabela **Porções** e na tabela **Exemplo** representa a mínima quantidade para atingir as necessidades diárias de nutrientes. É sua garantia. Escolha **mais** alimentos de quaisquer grupos para atingir suas necessidades calóricas diárias. Não passe fome! Um homem adulto ingere muito mais que 1.500 kcal ao dia.
- Dentro de cada grupo alimentar, escolha sempre os alimentos mais ricos em cálcio, ferro e zinco. Verifique esse conteúdo nas tabelas expostas nos capítulos correspondentes a esses nutrientes. O cálcio deve ser o mineral mais enfatizado nessa forma de construção do cardápio se a pessoa for vegana. Utilize os temperos verdes (como cebolinha e salsa) em abundância, pois são ricos em cálcio.
- Evite os alimentos ricos em ácido oxálico. Leia o capítulo sobre os fatores antinutricionais.
- Utilize as medidas para reduzir o ácido fítico dos alimentos. Leia o capítulo sobre os fatores antinutricionais.
- Utilize os temperos naturais em abundância. Eles são riquíssimos em nutrientes. Veja a **Lista de condimentos.** Uma colher de sopa de temperos em pó, como o *curry*, contém 5 g do produto. Isso equivale a 24 mg de cálcio proveniente do *curry*, ou a 62,3 mg proveniente da folha seca do coentro.
- Na escolha dos óleos, dê preferência aos ricos em ômega-3. Falarei mais a respeito no capítulo correspondente.

LISTA DE CONDIMENTOS	
Açafrão	Macis
Alcaparra	Manjericão
Alcaravia (*kümmel*)	Manjerona
Alecrim	Menta
Alho	Mostarda
Alho-poró	Nirá (alho japonês)
Anis-estrelado	Noz-moscada
Assa-fétida (férula)	Orégano
Canela	Páprica
Cardamomo	Pimenta-branca
Cebola	Pimenta calabresa
Cebolinha	Pimenta-da-jamaica
Cerefólio	Pimenta-do-reino
Coentro	Pimenta chili
Cominho	Pimenta-malagueta
Cravo-da-índia	Pimenta rosa
Cúrcuma	Pimenta Sichuan
Curry	Pimenta caiena
Endro	Pinoli
Erva-cidreira	Raiz-forte
Erva-doce	Salsa
Estragão	Sálvia
Feno-grego	Segurelha
Funcho	Sumac
Gengibre	Tomilho
Hortelã	Urucum
Louro	Zimbro

EXEMPLO

Grupo Alimentar	Dados da tabela Porções (entre parênteses, a quantidade de porções equivalentes)	Calorias (kcal)	Proteína (g)	Cálcio (mg)	Ferro (mg)	Zinco (mg)
Grãos (cereais) Porções mínimas diárias: 6	• 2 fatias de pão integral (2 porções)	160	6,2	46	2,1	1,24
	• 1 xícara de quinoa cozida = 56 g do grão seco (2 porções)	209	7,33	33,6	5,18	1,84
	• 1 xícara de aveia em grão cozida = 56 g do grão seco (2 porções)	217	9,45	30,24	2,64	2,2
Proteínas Porções mínimas diárias: 5	• 2 xícaras de feijão branco = 112 g do grão seco (4 porções)	372	26	268	11,69	4,11
	• 2 colheres de sopa de semente de linhaça = 14 g (1 porção)	74,76	2,56	35,7	0,8	0,6
Hortaliças Porções mínimas diárias: 4	• 1 xícara de couve cozida = 100 g (1 porção)	30	2,45	145	0,19	0,13
	• 2 xícaras de rúcula crua = 100 g (1 porção)	25	2,58	160	1,46	0,47
	• 1 xícara de batata-doce picada = 120 g (1 porção)	141	1,2	25,2	0,48	0,24
	• 2 xícaras de agrião cru = 100 g (1 porção)	17	3	133	3,1	0,7
Frutas Porções mínimas diárias: 2	• 1 maçã = 150 g (1 porção)	84	0	3	0,15	0
	• 1 banana-prata =100 g (1 porção)	98	1	8	0,4	1
Óleos Porções mínimas diárias: 2	• 1 colher de chá óleo de oliva (1 porção)	44,2	0	0	0	0
	• 1 colher de chá de óleo de linhaça (1 porção): os nutrientes não serão somados aqui, pois já foram incluídos no grupo dos alimentos ricos em proteína	0	0	0	0	0
	Total	1471,96	61,77	887,74	28,19	12,53
	Necessidade diária homens mulheres	Variável por pessoa	0,8 por kg de peso	1.000	14,0 32,0	16,5 12,0

Oleaginosas e sementes podem ser utilizadas no lugar (como equivalentes) do grupo dos óleos.

- Se você utiliza óleos para preparar os alimentos, prefira os óleos de oliva, soja e canola; eles são as melhores escolhas para cozinhar. Lembre-se que as quantidades utilizadas para o cozimento também devem ser computadas nas porções utilizadas de óleos.
- Dê preferência aos óleos prensados a frio e minimamente industrializados. Evite aquecê-los diretamente na panela exposta ao fogo ou no forno, pois podem atingir altas temperaturas e ter suas propriedades nutricionais modificadas.
- Certifique-se de que você consegue vitamina D suficiente. A exposição ao sol é fundamental. Se você vive na penumbra, o uso de suplementos pode ser uma boa opção. Leia mais no capítulo sobre a vitamina D.
- Preste atenção à vitamina B12. Leia o capítulo correspondente.
- Se você utiliza doces e álcool, consuma-os com moderação.
- Muitas linhas vegetarianas trabalham com combinações diferentes de grupos alimentares, como não misturar grãos a alimentos ricos em proteína. Não há problema algum nisso, desde que a quantidade mínima de porções de cada grupo seja fornecida em 24 horas.

- Importantíssimo: se o vegetariano, especialmente o vegano, utiliza exclusivamente alimentos integrais e não faz uso de alimentos industrializados que contêm doces e gorduras, não deve haver, em hipótese alguma, restrição ao volume de alimentos ingeridos. Dificilmente esse indivíduo se tornará obeso.
- Reduza ao máximo a ingestão de açúcares e doces. Utilize o alimento integral! Os alimentos integrais são muito mais saudáveis que os processados. E, apesar de estarem na moda, os *diet* e *light* são alimentos processados. Se você faz uso de mel ou açúcar, procure substituí-los por melado de cana ou açúcar mascavo, pois contêm ferro.

Mitos

Enzimas

Alguns grupos vegetarianos dizem que os vegetais devem ser consumidos crus por causa da presença das enzimas, que facilitariam a digestão do alimento e que seriam destruídas pelo calor. As enzimas presentes no alimento são importantes para que as reações bioquímicas do vegetal possam ser viáveis, porém, no nosso organismo, é muito questionado o papel que elas poderiam ter na nossa digestão. O assunto ainda carece ser mais bem pesquisado. Comer alimentos crus é saudável, traz muitos benefícios, porém sugiro que as enzimas não sejam o único estímulo para seu consumo.

Combinação de alimentos

Algumas pessoas dizem que não devemos ingerir na mesma refeição carboidratos e proteínas. Isso é impossível, pois praticamente todos os alimentos naturais contêm proteínas e carboidratos. Seria mais correto, em termos de conceitos nutricionais, se eles defendessem a ideia de não misturar alguns grupos diferentes na mesma refeição. Aí, sim, daria para entender a proposta, que seria a de que a combinação de alguns grupos alimentares, quando ingeridos na mesma refeição, apresenta uma digestão mais difícil, ou seja, um produto prejudicaria a digestão do outro. O fato é que não é possível separar os carboidratos das proteínas nos alimentos, a não ser por métodos industriais.

O vegetariano que mantém o peso adequado

O vegetariano que mantém o peso adequado provavelmente tem uma ingestão calórica adequada, mas isso não quer dizer que os outros nutrientes (como vitaminas e minerais) estejam adequados também, ou seja, a ingestão provavelmente está boa em quantidade de energia, mas não necessariamente em qualidade. Verifique se está utilizando os alimentos de acordo com as dicas de elaboração do cardápio vegetariano e para a refeição vegetariana saudável.

Teoricamente, o indivíduo com peso adequado para a altura não necessita seguir um programa alimentar baseado em cálculos de necessidade calórica.

Para verificar se você apresenta um peso adequado em relação à sua altura, basta fazer uma conta: divida o seu peso (em kg) por sua altura elevada ao quadrado (em metros), ou seja, peso/altura^2. O valor resultante é o que chamamos de índice de massa corpórea (IMC) ou corporal. É considerado normal o valor entre 18,5 a 24,9 kg/m^2. Essa normalidade é estabelecida com base em riscos à saúde que existem quando o valor está além ou aquém da faixa do IMC considerada normal.

O vegetariano que quer emagrecer

Submeter-se a uma avaliação médica/nutricional nunca é demais. O profissional vai procurar identificar problemas de saúde que podem levar ao aumento de peso, como o hipotireoidismo.

Os que estão acima do peso devem reduzir ou retirar da dieta os alimentos que contêm muita gordura. No guia dos grupos fornecido na tabela **Grupos alimentares para vegetarianos,** eles equivalem aos queijos, às oleaginosas e aos óleos. Abolir ou reduzir drasticamente os alimentos industrializados (como bolachas e doces) é muito importante, pois muitos deles contêm elevado teor de gorduras e açúcares, assim como poucas fibras. Preste atenção: quando falo em doces estou me referindo a alimentos com adição de açúcares e não aos carboidratos presentes nos alimentos em seu estado natural.

Seguir o direcionamento para um cardápio vegano, com alimentos integrais exclusivamente (grãos principalmente), costuma ser suficiente para ajustar o peso. Se você segue esse cardápio, sem o consumo de açúcares ou de qualquer produto industrializado, pode comer à vontade. É dificílimo engordar com um cardápio assim.

O indivíduo pode emagrecer sem praticar atividade física, sim! No entanto, a prática de exercícios regulares, com predominância de exercícios aeróbicos, bem direcionada, pode acelerar os resultados, além de proporcionar diversos outros benefícios ao organismo.

O vegetariano que quer engordar

Descarte qualquer problema de saúde por meio de uma avaliação médica e nutricional. A primeira ideia que deve ter passado por sua cabeça aqui seria fazer exatamente o oposto do que foi descrito para o vegetariano que quer emagrecer. No entanto, eu não aconselho o aumento de ingestão dos alimentos gordurosos e sem fibras, pois isso constitui princípios de uma dieta não-saudável.

Após estar seguro de que está ingerindo nutrientes nas quantidades suficientes, sugiro a prática regular de atividade física monitorizada por um profissional, que solicite trabalho muscular intenso, com menor atividade aeróbica. A musculação é um exemplo disso.

Com a prática de atividade física bem orientada, ocorre aumento do apetite e de massa corporal por maior ingestão alimentar e retenção de nutrientes pelos músculos. O ganho de peso deve se fazer com saúde e não à custa de gordura acumulada. Esses princípios também servem para o indivíduo que quer ganhar peso ou massa muscular mesmo estando com peso adequado.

O atleta vegetariano

Algumas pessoas pensam que o vegetariano precisa ficar em repouso o tempo todo, com o risco de cair uma perna ou um braço. Puro mito! Se uma dieta fornece todos os nutrientes necessários para o bom funcionamento do organismo, não há motivo para qualquer limitação de atividades.

A dieta vegetariana é excelente para a prática de atividades físicas. Ela fornece uma excelente proporção de carboidratos e proteínas, um excelente estado antioxidante (proteção contra radicais livres), assim como uma ótima quantidade de alimentos alcalinizantes (que auxiliam na neutralização de ácidos produzidos durante a atividade física). Tudo isso é muito benéfico para a prática de atividades físicas. Experimente!

Carl Lewis foi um dos maiores medalhistas olímpicos e era vegano. Éder Jofre, diversas vezes campeão de boxe, era (e continua sendo) vegetariano. Existem diversos atletas famosos que são vegetarianos.

A dieta vegetariana exige cuidados especiais?

Todas as dietas têm particularidades. Os vegetarianos geralmente devem prestar atenção para aumentar a ingestão de ferro, cálcio e zinco, assim como a vitamina B12. Já os onívoros devem aumentar a ingestão de ferro, ácido fólico, fibras e alimentos integrais, assim como reduzir a ingestão de proteínas e gorduras.

ferro

Ferro e saúde pública

O ferro é o mineral encontrado em maior abundância no nosso planeta. Por causa disso, poderíamos esperar que não houvesse deficiência de ferro no organismo das pessoas, mas não é o que ocorre. Segundo a Organização Mundial de Saúde (OMS), essa é a desordem nutricional mais comum no mundo: cerca de 1/3 da população mundial (mais de 2 bilhões de pessoas) tem carência de ferro, que é significativa tanto nos países em desenvolvimento quanto nos desenvolvidos. No Brasil, 30% das gestantes têm deficiência de ferro, assim como 50% das crianças. O consumo de uma dieta inadequada pode contribuir para a deficiência de ferro.

Para que serve o ferro no nosso organismo?

O ferro é fundamental para que diversas reações químicas no nosso corpo aconteçam, assim como para que as células vermelhas do nosso sangue, as hemácias, sejam construídas. O ferro faz parte de certas enzimas (compostos químicos que auxiliam em certas reações bioquímicas) necessárias para se retirar a energia do alimento.

Como o ferro está distribuído no nosso organismo?

O corpo humano contém cerca de 3 a 5 g de ferro sendo que cerca de 60 a 70% estão incorporados nas hemácias (células vermelhas do sangue). Fica evidente que sangramento causa perda de ferro. Outros 20 a 30% ficam armazenados em outras células. Nosso estoque de ferro se chama ferritina. Ele não é muito grande! O restante do ferro está nas células musculares (mioglobina) e enzimas que contêm ferro. Guarde essa informação: quando falta ferro no organismo, o estoque (ferritina) vai sendo utilizado para fornecer ferro para a produção das células vermelhas (hemácias). Dessa forma, inicialmente, ocorre redução dos estoques de ferro. Quando não há mais ferro guardado, a produção das células vermelhas se reduz e pode surgir a anemia.

O que acontece se temos pouco ferro no nosso corpo?

Ocorre menor produção das células vermelhas, as hemácias (a pessoa fica pálida). O sistema imunológico fica deprimido. A pele pode apresentar alterações, como fissuras nos cantos dos lábios. Pode também ocorrer queda de cabelo e alterações nas unhas.

A pessoa com deficiência de ferro sente cansaço, tontura, fraqueza, indisposição e falta de apetite. Pode haver depressão.

O desenvolvimento cognitivo de crianças com anemia fica prejudicado.

Há risco de parto prematuro e anormalidade no desenvolvimento cerebral do feto.

O que é anemia?

Chamamos de anemia a redução do número de células vermelhas no sangue, por unidade de volume de sangue. Isso pode ocorrer por diversos motivos, sendo a falta de ferro a principal razão nutricional.

A anemia é constatada por meio de exame laboratorial.

Após verificar que o indivíduo tem anemia, o médico deve iniciar uma pesquisa para saber o motivo. Diversas doenças podem favorecer o surgimento da anemia: a insuficiência renal crônica, o hipotireoidismo, o câncer e as doenças inflamatórias. A anemia receberá um "sobrenome" de acordo com o fator que a desenvolve. Assim, teremos a anemia megaloblástica (geralmente por falta de vitamina B9 e/ou B12), perniciosa (por falta de absorção de B12), etc. **Quando a anemia é por falta ou privação de ferro, ela é chamada de anemia ferropriva.**

Por que podemos ter deficiência de ferro?

Isso pode ocorrer por ingestão insuficiente ou mal planejada de alimentos, por aumento da necessidade de ferro no organismo (como no último trimestre da gestação) e por perda crônica de sangue (como na menstrução, hemorroidas e em alguns tumores). Essas três condições também podem estar associadas. Nos adultos não-gestantes, a perda sanguínea é o fator mais comum, e encontramos muito mais mulheres (que menstruam) com deficiência de ferro que homens.

Em pessoas que tiveram o estômago retirado cirurgicamente, como em casos de câncer e de cirurgia para tratamento da obesidade, ocorre redução da absorção do ferro.

Os tipos de ferro

Ferro é ferro, um elemento único! Mas ele pode estar "disfarçado" de ferro heme ou não-heme.

• O ferro heme, ou "de origem animal"

O ferro heme é derivado das células vermelhas (hemoglobina) e das células musculares (mioglobina). Portanto, é de origem animal: obtido de carnes e alimentos derivados de sangue (como o chouriço). As carnes vermelhas têm maior teor de ferro que as de aves ou peixes. Veja a tabela **Teor de ferro nos alimentos** na página 32.

O ferro heme representa a **menor** porção do ferro ingerido pelas pessoas, mesmo as que comem carne. Ele costuma ser bastante badalado pelos profissionais de saúde porque sofre pouca alteração de fatores que prejudicam ou intensificam sua absorção. **Cerca de 10 a 40% do ferro heme pode ser absorvido, contra cerca de 2 a 20% do ferro não-heme ingerido.** Vamos entender absorção como a passagem do nutriente que chega ao trato gastrointestinal para o sangue.

Atenção: o ferro "de origem animal" não é tão heme assim.

Menos de 40% do ferro contido na carne é heme. Os mais de 60% restantes são não-heme. O aquecimento e a estocagem da carne reduzem seu teor de ferro heme ainda mais, pois o transformam em não-heme. Os dados de teor de ferro de que dispomos nas tabelas geralmente fazem referência à carne crua. Quanto mais intensivo o tratamento térmico, como o cozimento, mais transformação do ferro heme para não-heme ocorre na carne. **Portanto, as carnes possuem menos de 40% do seu ferro na forma heme.**

• O ferro não-heme

O ferro não-heme é abundante nos alimentos de origem vegetal. É um ferro também chamado de "inorgânico", e utilizado para fortificação industrial de alimentos. Ele é mais sensível aos fatores que estimulam ou inibem sua absorção que o ferro heme.

O meio ácido no intestino favorece a absorção do ferro. Memorize essa informação! A acidez facilita a absorção do ferro.

Os compostos que melhoram a absorção do ferro vegetal são chamados de promotores da absorção, sendo a vitamina C o mais potente deles. Os que inibem são chamados de inibidores, sendo o ácido fítico e os polifenóis os mais potentes.

Inibidores da absorção

O cálcio é capaz de inibir a absorção de ferro numa refeição, tanto do heme como do não-heme. O consumo de leite e laticínios (ricos em cálcio e pobres em ferro) pode contribuir para um pior estado nutricional de ferro. Da mesma maneira, a refeição baseada em sanduíches, com alimentos pobres em ferro e com queijos (ricos em cálcio), contribui para a piora do estado nutricional de ferro. É fato que **os veganos apresentam melhor estado nutricional de ferro do que os lactovegetarianos.**

Algumas **proteínas** presentes em ovos, leite e queijos (chamadas caseíno-fosfopeptídeos) prejudicam a absorção do ferro.

O ácido fítico, presente em diversas sementes e grãos, também prejudica a absorção do ferro. Há um capítulo inteiro para conversar sobre esse composto neste livro. Por enquanto, digo que há formas de reduzir a sua quantidade nos alimentos e contrapor o seu efeito através da vitamina C, dos ácidos orgânicos e da vitamina A.

Polifenóis: apesar de estarem associados com efeitos benéficos contra as doenças cardiovasculares e o câncer, esses compostos podem se ligar ao ferro e dificultar a sua absorção. Alguns dos polifenóis mais conhecidos são os taninos, as catequinas e as isoflavonas. Assim, convém evitar o uso de chá preto, cacau, café e chás de ervas próximo às refeições que contêm ferro, pois a absorção do mineral pode ser comprometida. **O chá preto é o que causa a maior redução na absorção de ferro.**

Falta de acidez gástrica prejudica a absorção do ferro. Isso pode ocorrer pelo uso de antiácidos ou pelo próprio envelhecimento, que provoca redução da produção de ácido clorídrico no estômago.

Promotores da absorção de ferro

Fator carne: o ferro vegetal apresenta absorção de duas a três vezes maior se há carne na refeição. Ao que tudo indica, alguns aminoácidos que compõem a proteína da carne seriam capazes de facilitar a absorção do ferro não-heme.

Vitaminas e ácidos orgânicos: os ácidos ascórbico (vitamina C), cítrico, lático, málico e tartárico, assim como a vitamina A e o betacaroteno favorecem a absorção de ferro. Além disso, a vitamina C se contrapõe aos efeitos inibitórios do ácido fítico e dos polifenóis. Cerca de 75 mg de vitamina C aumentam a absorção do ferro em três a quatro vezes. Veja na tabela **Vitamina C** alguns alimentos ricos nessa vitamina.

TEOR DE FERRO NOS ALIMENTOS

Grupo dos alimentos ricos em proteína

Leguminosas	Fe (mg)
Soja, semente madura crua	15,7
Feijão-branco cru	10,44
Feijão-carioca cru	8
Lentilha crua	7
Feijão-rosinha, semente madura crua	6,77
Fava, semente madura crua	6,7
Feijão-preto cru	6,5
Grão-de-bico	6,24
Azuki, semente madura crua	4,98
Grão-de-bico, farinha	4,86
Ervilha seca, semente madura	4,43
Soja, semente madura, torrada	3,95

Derivados de soja	Fe (mg)
Tofu cru (feito com sulfato de cálcio)	5,36
Aguê	4,3
Tofu firme (feito com *nigari*)	1,61
Tofu macio (feito com *nigari*)	1,11
Leite de soja	1,1

Oleaginosas	Fe (mg)
Castanha-de-caju torrada sem sal	6
Avelã	4,7
Amendoim, cru	4,58
Amêndoa	4,3
Pistache cru	4,15
Macadâmia crua	3,69
Azeitona em conserva, madura	3,3
Noz-pecã	2,53
Castanha-do-pará	2,43
Coco	1,7

Sementes	Fe (mg)
Abóbora assada sem sal	14,94
Gergelim tostada sem sal	7,78
Melancia seca crua	7,28
Girassol seca	6,77
Linhaça	5,73

Derivado de sementes	Fe (mg)
Tahine	8,95

Leite e iogurte	Fe (mg)
Leite de vaca, pó desnatado	0,9
Leite de vaca, integral em pó	0,5
Leite condensado	0,1
Leite de cabra	0,05
Leite de vaca integral	0,05
Leite de vaca semidesnatado	0,03
Iogurte natural	0

Queijos	Fe (mg)
De cabra semimacio	1,62
Cream cheese	1,2
Parmesão ralado	0,9
Parmesão duro	0,82
Cheddar	0,68
Provolone	0,52
Brie	0,5
Mozarela	0,44
Prato	0,43
Ricota	0,38
Gorgonzola	0,31
Suíço	0,2

Ovos	Fe (mg)
De pato, inteiro, cru	3,85
De codorna, inteiro, cru	3,65
De galinha, inteiro, cru	1,6
De galinha, inteiro, fervido	1,19

Peixes	Fe (mg)
Atum fresco cru	1,3
Sardinha inteira crua	1,3
Bacalhau salgado cru	0,9
Merluza, filé cru	0,2
Pescada, branca crua	0,2
Pescada, filé crua	0,2

Carne bovina	Fe (mg)
Fígado grelhado	5,8
Picanha sem gordura grelhada	3,6
Filé mignon sem gordura grelhado	2,9

Carne bovina	Fe (mg)
Coxão mole sem gordura cozido	2,6
Contrafilé com gordura grelhado	2,4
Contrafilé sem gordura grelhado	2,4
Músculo sem gordura cozido	2,4
Fraldinha com gordura cozida	2
Lagarto cozido	1,9
Contrafilé sem gordura cru	1,7
Coxão duro sem gordura cozido	1,7
Contrafilé com gordura cru	1,3

Frango	Fe (mg)
Fígado cru	9,5
Coração cru	4,1
Sobrecoxa, sem pele, sem osso, crua	0,9
Coxa sem pele, sem osso, crua	0,8
Coxa com pele, sem osso, crua	0,7
Sobrecoxa, com pele, sem osso, crua	0,7
Asa com pele, crua	0,6
Peito com pele, sem osso, cru	0,4
Peito sem pele, sem osso, cru	0,4

Frios	Fe (mg)
Mortadela de peru	3
Bacon (sem carne)	2,41
Salsicha de frango	2
Salame, seco ou duro,	1,51
Mortadela bovina e suína	1,21
Salsicha bovina e suína	1,15
Presunto fatiado (11% de gordura)	1,02
Presunto fatiado extra magro (5% gordura)	0,8

Grupo dos grãos (cereais)

Cereais integrais	Fe (mg)
Quinoa real	9,25
Aveia	4,72
Trigo duro branco	4,56
Cevada	3,6
Milho branco	2,71
Centeio	2,67
Trigo sarraceno (mourisco)	2,2
Arroz integral	1

Derivados de cereais integrais	Fe (mg)
Farelo de trigo	10,57
Farinha de centeio, escura	6,45
Germe de trigo cru	6,26

Derivados de cereais integrais	Fe (mg)
Macarrão, trigo integral, cru	3,63
Pão, trigo integral	3,3
Pão, centeio integral	2,87
Pipoca (feita com óleo)	2,78
Farinha de cevada	2,68
Aveia flocos	1,8
Milho, fubá, cru	0,9

Cereais refinados	Fe (mg)
Trigo, farinha branca	1
Trigo, pão francês	1
Macarrão, trigo, cru	0,9
Macarrão, trigo, cru com ovos	0,9
Arroz branco	0,8

Grupo dos Óleos

Óleos	Fe (mg)
Oliva	0,56
Coco	0,04
Soja (mesa e cozinha)	0,02
Canola	0
Gergelim	0
Girassol, oleico (mais de 70%)	0
Linhaça	0
Milho	0

Outros	Fe (mg)
Manteiga	0,02
Margarina de milho	0
Banha	0
Gordura vegetal hidrogenada	0

Os valores expostos foram retirados da tabela Taco quando havia valores encontrados para ferro, cálcio, zinco, proteína e vitamina C. Na falta desses dados, eles foram todos retirados do Departamento de Agricultura dos Estados Unidos. Não há valores misturados (das duas tabelas utilizadas) para o mesmo alimento.

Valores correspondentes em mg de Ferro em 100 g da parte comestível do produto

Grupo dos Vegetais

Verduras e brotos	Fe (mg)
Nori	3,5
Broto de lentilha cru	3,21
Agrião	3,1
Espinafre cru	2,71
Broto de trigo	2,14
Agar, crua	1,86
Acelga crua	1,8
Rúcula crua	1,46
Couve-de-bruxelas crua	1,4
Mostarda crua	1,4
Alcachofra cozida sem sal	1,29
Broto de trevo	0,97
Broto de alfafa cru	0,96
Chicória	0,9
Repolho chinês (*pak-choi*) cru	0,8
Repolho vermelho cru	0,8
Almeirão	0,7
Alface lisa crua	0,6
Brócoli cru	0,6
Repolho cru	0,59
Broto de bambu cru	0,5
Couve-flor cozida	0,5
Alface crespa crua	0,4
Salsão cru	0,2
Couve manteiga crua	0,19
Algas desidratadas	**Fe (mg)**
Espirulina seca	28,5
Ágar, seco	21,4
Legumes	**Fe (mg)**
Palmito (lata)	3,13
Ervilha verde, cru	1,47
Aspargo cozido, drenado	0,91
Quiabo cru	0,8
Bardana cozida	0,77

Legumes	Fe (mg)
Abóbora capotian	0,4
Maxixe	0,4
Pimentão amarelo	0,4
Pimentão verde	0,4
Rabanete	0,4
Vagem crua	0,4
Beterraba	0,3
Jiló cru	0,3
Pimentão vermelho	0,3
Abóbora	0,2
Abobrinha	0,2
Berinjela	0,2
Cenoura	0,2
Chuchu cru	0,2
Nabo cru	0,2
Tomate cru com semente	0,2
Pepino	0,1
Cogumelo seco*	**Fe (mg)**
Shiitake seco	1,72
Pleurotus branco e *salmon*	1,3
Champignon cru	0,52
Castanho	0,8
Shimeji escuro	0,28
Dinamarquês	0
Amiláceos	**Fe (mg)**
Castanha portuguesa crua sem pele	0,94
Batata-doce	0,4
Batata-inglesa	0,4
Inhame cru	0,4
Batata-baroa	0,3
Mandioca crua	0,3
Cará cru	0,2

Condimentos

In natura	Fe (mg)
Cerefólio seco	31,9
Sálvia moída	28,12
Hortelã fresca	11,87
Pimenta vermelha (caiena)	7,8
Alecrim fresco	6,65
Salsa crua	3,2
Alho-poró, bulbo e parte inferior da folha, cru	2,1
Coentro, folha crua	1,77
Alcaparra, enlatada	1,67
Pimenta *hot chili* vermelha	1,03
Manjericão cru	1
Alho cru	0,8
Cebolinha	0,6
Gengibre, cru	0,6
Cebola	0,2
Secos	**Fe (mg)**
Tomilho moído	123,59
Cominho, semente	66,36
Orégano moído	44
Louro	43
Coentro, folha seca	42,45
Canela em pó	38,07
Estragão moído	32,29
Curry	29,59
Pimenta-do-reino	28,86
Páprica	23,59
Endro, semente	16,33
Coentro, semente	16,32
Pimenta branca	14,31
Cardamomo moído	13,97
Açafrão	11,1
Mostarda, semente amarela	9,98
Cravo-da-índia moído	8,68
Noz-moscada moída	3,04

Grupo das Frutas

Frutas frescas	Fe (mg)
Tamarindo	2,8
Amora	1,85
Sapoti	0,8
Marmelo	0,7
Jaca	0,6
Maracujá	0,6
Abacate	0,55
Banana-prata	0,4
Damasco	0,39
Cereja	0,36
Abacaxi	0,3
Banana-da-terra	0,3
Banana-nanica	0,3
Banana-ouro	0,3
Quiuí	0,3
Morango	0,3
Romã crua	0,3
Nêspera	0,28
Goiaba	0,26
Pêssego	0,25

Frutas frescas	Fe (mg)
Acerola	0,2
Banana-maçã	0,2
Caju	0,2
Figo	0,2
Mamão Formosa	0,2
Melancia	0,2
Pitanga	0,2
Melão	0,17
Caqui japonês	0,15
Tangerina	0,15
Ameixa	0,1
Laranja-baía com bagaço	0,1
Laranja-pera com bagaço	0,1
Maçã Fuji	0,1
Mamão papaia	0,1
Manga Tommy Atkins	0,1
Pera Williams	0,1
Uva Itália	0,1
Carambola	0,08
Ameixa *umeboshi* (conserva)	7

Frutas secas	Fe (mg)
Damasco desidratado	6,31
Pêssego desidratado	4,06
Uva passa com semente	2,59
Figo desidratado	2,03
Uva passa sem semente	1,88
Banana	1,15
Tâmara seca	1,02
Caqui japonês seco	0,74
Sucos**	**Fe (mg)**
Laranja	0,2
Laranja-baía	0,1
Limão-galego	0,1
Tangerina Poncã	0,1

Açúcares e mel	Fe (mg)
Melado de cana	4,72
Açúcar mascavo	1,91
Mel	0,42
Açúcar, cristal	0,2
Açúcar refinado	0,1

* Algas e cogumelos não são vegetais mas têm características nutricionais que os aproximam das hortaliças.

**sem adição de água

Os ácidos orgânicos ocorrem naturalmente nos alimentos, principalmente nas frutas e vegetais. Alguns aditivos químicos utilizados nos alimentos industrializados são ácidos orgânicos.

A vitamina C é o mais potente promotor de absorção de ferro. Esse efeito é bastante potencializado quando a proporção corresponde a 20 mg de vitamina C para 3 mg de ferro.

A vitamina C é sensível (pode ser destruída) ao aquecimento, luz, contato com o oxigênio, contato com a folha-de-flandres (utilizada como revestimento dos recipientes em alimentos enlatados). Quanto mais tempo um alimento fica armazenado ou em processo de cozimento, maior é a perda. Assar um alimento causa mais perda da vitamina que cozinhá-lo em água por causa da diferença de temperatura dos dois processos. Na batata-doce, por exemplo, após 30 minutos de cozimento na água restam 45,6% da vitamina C presente inicialmente, enquanto que se for assada pelo mesmo tempo restam 30,3% da vitamina. O cozimento na água causa uma perda 10% maior de vitamina C do alimento do que quando ele é preparado no vapor. O cozimento excessivo aumenta as perdas da vitamina C. O armazenamento de um produto, após seu cozimento, provoca perdas de vitamina C. Os alimentos, após terem sido processados termicamente, perdem a metade do seu teor de vitamina C: em 12 meses quando congelados, em 6 semanas quando refrigerados e pasteurizados, em 7 dias quando apenas refrigerados, em 6 horas se guardados quentes.

VITAMINA C

Alimento	Quantidade	Vitamina C (mg)
Goiaba crua	1/2 xícara	188
Pimentão vermelho cru	1/2 xícara	142
Pimentão vermelho cozido	1/2 xícara	116
Kiwi	1 médio	70
Laranja crua	1 unidade	70
Suco de laranja	3/4 xícara	61 a 93
Pimentão verde cru	1/2 xícara	60
Pimentão verde cozido	1/2 xícara	51
Suco de *grapefruit*	3/4 xícara	50 a 70
Morango cru	1/2 xícara	49
Couve-de-bruxelas cozida	1/2 xícara	48
Melão-cantalupo médio	1/4 unidade	47
Mamão (papaia) médio	1/2 unidade	47
Brócoli cru	1/2 xícara	39
Brócoli cozido	1/2 xícara	37
Suco de tomate	3/4 xícara	33
Couve-flor cozida	1/2 xícara	28
Abacaxi cru	1/2 xícara	28
Couve cozida	1/2 xícara	28
Manga crua	1/2 xícara	23

Recomendação de ingestão diária para adultos: 90 mg (homens) e 75 mg (mulheres)

Fruto-oligossacarídeos (FOS) são compostos naturalmente encontrados na dieta, que, ao serem fermentados pelas bactérias do intestino grosso, promovem diversos efeitos benéficos ao intestino e ao organismo como um todo. Estudos recentes indicam que a ingestão dos FOS pode favorecer a absorção do ferro no intestino grosso, que é um local pouco usual de absorção do mineral.

Os FOS podem ser encontrados em inúmeros alimentos vegetais, como banana, alho, aspargo, alcachofra, cebola, centeio, cevada, dentre outros. A chicória é o alimento que, de longe, apresenta o maior teor de FOS dos alimentos já avaliados. Um fato interessante: os FOS neutralizam os efeitos negativos do ácido fítico sobre a absorção do ferro.

Baixos estoques de ferro no corpo: nessa situação, o organismo consegue absorver de dez a 15 vezes mais o ferro não-heme. O ferro não-heme contribui muito mais que o heme em relação à quantidade absorvida para recompor os estoques baixos, mesmo em onívoros. Podemos considerar que **o estoque de ferro de um indivíduo é o maior determinante na absorção do ferro não-heme.**

Curiosidade: **fibras não alteram a absorção do ferro.** Muitos livros antigos trazem a informação que as fibras dificultam a absorção do ferro, mas eram baseados em estudos que não foram realizados em seres humanos e que não consideravam a presença de inibidores da absorção do ferro presentes nos compostos que contêm fibra, como o ácido fítico. Ao se utilizar a fibra purificada, ou seja, sem nenhum outro composto combinado a ela (como o ácido fítico), não ocorre redução importante na absorção do ferro.

As recomendações nutricionais sobre o ferro

Para compensar a menor biodisponibilidade do ferro na dieta vegetariana, que costuma ser de 10% (contra 18% na dieta com carne), recomenda-se que os vegetarianos tenham uma ingestão de ferro 80% maior que os indivíduos que comem carne. A tabela **Necessidade de ingestão diária de ferro total** mostra as recomendações para onívoros e vegetarianos.

NECESSIDADE DE INGESTÃO DIÁRIA DE FERRO TOTAL

Homens	Onívoros	Vegetarianos
Acima de 19 anos	8 mg	14 mg
Mulheres	**Onívoras**	**Vegetarianas**
19 a 50 anos	18 mg	32 mg
Acima de 50 anos	8 mg	14 mg

Atingir esses valores pode ser simples para homens. No entanto, para mulheres que menstruam (onívoras e vegetarianas), pode ser mais difícil. Mas, nesse ponto, precisamos utilizar o bom senso! Afinal, a prevalência de anemia por deficiência de ferro em mulheres é a mesma em onívoras e vegetarianas (veremos isso a seguir). Acompanho muitas mulheres vegetarianas que não ingerem a quantidade recomendada, não utilizam suplementos e mantêm os níveis sanguíneos de ferro dentro da normalidade. É preciso atentar aos dados dos exames laboratoriais e observar a quantidade de perda sanguínea mensal da mulher.

Qual é a quantidade de ferro que é preciso absorver?

A partir do momento em que o ferro é absorvido, ele só pode sair pela descamação e secreções da pele ou da mucosa intestinal e por perdas sanguíneas. O ferro não absorvido também pode sair pelas fezes. A perda de ferro num homem com estoque normal é de 1 mg/dia. Uma mulher dificilmente perde mais que 4 mg de ferro diariamente. Assim, em adultos, é necessário que a absorção de ferro, para repor as perdas e manter os níveis em equilíbrio, seja de cerca de 1 a 2 mg por dia.

Não basta ingerir, é necessário absorver!

Veja só: a recomendação oficial de ingestão de ferro é muito maior do que realmente precisamos. Isso ocorre porque a absorção desse mineral é difícil e devemos ter uma larga margem de segurança na quantidade que deixamos disponível para a absorção.

Se falta ferro no organismo, a absorção é otimizada, principalmente a partir de ferro não-heme (vegetal).

Os vegetarianos ingerem mais ferro que os onívoros

A retirada da carne da alimentação não traz impacto negativo sobre a quantidade de ferro total ingerido. A ingestão de ferro total por vegetarianos costuma ser, em quase todos os estudos científicos, maior que a de não-vegetarianos, assim como a ingestão de vitamina C (que favorece a absorção do ferro) por vegetarianos é sempre maior (muitas vezes o dobro) que a de onívoros. Vamos lembrar que o ferro de origem vegetal é 100% não-heme, e sofre a influência da vitamina C para ser absorvido.

A simples observação do teor de ferro ingerido não nos traz informações sobre a biodisponibilidade desse ferro, pois a presença de promotores ou inibidores da absorção deve ser sempre considerada. Para que se tenha uma ideia, os tipos de alimentos que estão presentes na refeição podem modificar a absorção do ferro em dez vezes.

As carnes bovinas apresentam, geralmente, menos de 3 mg de ferro por 100 g (veja a tabela **Teor de ferro nos alimentos**), e menos de 40% é heme (não estou somando as perdas com a estocagem e aquecimento!). Assim, podemos considerar que, para cada 100g de carne (quantidade preconizada para o consumo diário pelo Ministério da Saúde), a pessoa ingere menos de 1,2 mg de ferro heme. **A porção desse ferro que será absorvida é de cerca de 20%, e portanto de 0,24 mg. Lembre-se de que necessitamos absorver cerca de 1 a 2 mg de ferro por dia. Assim, o ferro heme corresponde a uma pequena fração do ferro absorvido pela pessoa que come carne.**

As populações vegetarianas ingerem mais ferro que as onívoras. Isso pode ser claramente visto na tabela **Ingestão de ferro nos países**. Lembre-se de que a Índia é um país com grande predominância de vegetarianos.

INGESTÃO DE FERRO NOS PAÍSES	Ferro diário ingerido por pessoa (mg)
Índia: homens	28 a 35
Índia: mulher adulta	23 a 30
Bangladesh	23
Senegal	12,6 a 36,4
Quênia	16,8
América Latina	16
Suécia: homens (15 a 74 anos)	16
Suécia: mulheres (15 a 74 anos)	12
Filipinas	11
Camarões	10
Reino Unido (1993)	10

Anemia por deficiência de ferro em vegetarianos

Onívoros e vegetarianos têm anemia por deficiência de ferro com a mesma frequência.

É importante saber que, para corrigir uma deficiência de ferro é necessário recorrer à utilização de suplementos e, mesmo com eles, o tempo de correção costuma ser de mais de um ano com seu uso contínuo. A dieta, por mais adequada que seja, não corrige a deficiência de ferro de forma satisfatória, mesmo que se utilize a carne. Portanto: correção de deficiência de ferro deve ser feita com suplementos sob supervisão médica.

Carne é rica em ferro?

Podemos responder "sim" ou "não". Depende de como abordarmos essa pergunta. Se considerarmos o ferro total presente na carne, exceto no fígado (que é realmente rico em ferro), veremos que ela não é mais rica que os vegetais, já que quase todos os alimentos do grupo dos grãos, os feijões, as oleaginosas e sementes possuem bem mais ferro que a carne em 100 gramas do produto cru (veja a tabela **Teor de ferro nos alimentos**, na página 32). Considerando os grãos cozidos, o peso do alimento pronto recebe o acréscimo da água incorporada. Isso faz com que 100 g do grão cozido tenha um teor de ferro duas a três vezes menor que o mesmo peso do grão cru. Se considerarmos o teor de ferro total dos peixes e aves, podemos compará-los a verduras e legumes! Por esse olhar, as carnes não são ricas em ferro! Se considerarmos o ferro heme como o foco de nossa observação, aí sim podemos dizer que as carnes são ricas em ferro (heme), já que nenhum alimento do reino vegetal oferece ferro heme.

Fortificação de alimentos

No Brasil, a Resolução RDC nº 344, de 12 de dezembro de 2002, da Agência Nacional de Vigilância Sanitária (Anvisa), estabelece a fortificação das farinhas de trigo e milho com 4,2 mg de ferro para cada 100 g de farinha. Essa resolução também estabelece que não é necessário aos fabricantes a fortificação das farinhas de biju, de trigo integral e de trigo durum. A meta da fortificação de ferro é prevenir a anemia por falta de ferro e evitar a depleção dos estoques (ferritina) do organismo.
O tipo de ferro adicionado aos alimentos não altera a absorção de zinco, cobre, cálcio e magnésio.

Atenção: o ferro adicionado aos alimentos industrializados não é de origem animal!

Panela de ferro

Os estudos demonstram que as panelas de ferro realmente liberam quantidades expressivas de ferro. Esses estudos utilizam líquidos (como ácido acético e lático) para simular os alimentos. Após o processo de cocção, o teor de ferro nesses líquidos é mensurado. É observado que a panela de ferro pode liberar quantidades diferentes (variação de 50 até 2.000 mg) de ferro de acordo com o composto que está em contato com a panela após 20 minutos de cozimento. Dessa forma, podemos dizer que as panelas de ferro realmente liberam o mineral, mas não é possível dizer o quanto nas diferentes preparações caseiras.

Sou vegetariano. Devo fazer exames para verificar como está o ferro no meu organismo?

Sim, claro, mas você não vai fazer esse exame só porque é vegetariano. A justificativa do exame está no fato de 1/3 da população mundial ter carência do mineral. Os vegetarianos têm anemia ferropriva com a mesma frequência que os onívoros. Assim, vegetarianos e não-vegetarianos devem, igualmente, se precaver da deficiência e verificar seus níveis de ferro regularmente. O médico deverá orientar essa periodicidade, assim como o tratamento, caso haja deficiência.

Sou vegetariano. Devo tomar suplemento de ferro?

Você deve usar suplemento de ferro apenas se estiver com deficiência! Para saber isso, é necessária a realização de exames laboratoriais.

O uso de suplemento de ferro sem necessidade pode levar a aumento na formação de radicais livres no intestino grosso pelo ferro não absorvido, o que favorece, por exemplo, o surgimento de câncer no intestino grosso.

Por isso, é fundamental a avaliação médica e constatação de anemia ferropriva por exames laboratoriais para comprovar a deficiência antes de iniciar a suplementação de ferro.

O uso de suplementação de ferro reduz a eficiência da absorção do ferro proveniente da alimentação enquanto o suplemento estiver sendo usado.

Dicas para o bom aproveitamento do ferro do alimento

- Na elaboração da sua dieta, dê preferência aos alimentos ricos em ferro. Essa escolha deve ser feita em todos os grupos alimentares. Utilize os condimentos!
- Sempre use alimentos ricos em vitamina C nas refeições que contêm ferro. A regra básica é que o grupo das hortaliças e o das frutas são os mais ricos em vitamina C. Já o grupo dos grãos (cereais) e o dos alimentos ricos em proteínas são mais ricos em ferro. A junção dos grupos ricos em ferro com os ricos em vitamina C promove uma boa interação de vitamina C com o ferro.
- Não utilize chá preto, cacau, café e chás de ervas próximos às refeições que contêm ferro. Se você utiliza essas bebidas, use-as pelo menos uma hora antes das refeições ou três horas depois. Lembre-se de que o chá preto é o pior dos inibidores da absorção de ferro.
- Evite o uso de leite, laticínios e ovos nas refeições ricas em ferro.
- Utilize as medidas para reduzir o ácido fítico dos alimentos. Leia o capítulo correspondente.
- Não tome antiácidos de maneira indiscriminada.
- Se você gosta, utilize panela de ferro para cozinhar os alimentos.
- Tenha uma alimentação rica em produtos naturais e integrais. As fibras desses alimentos promovem um meio intestinal mais ácido. Os estudos atuais tendem a mostrar que, com isso, é bem possível que haja absorção de ferro no intestino grosso.

Conclusão

A dieta vegetariana não é pobre em ferro, como muitas pessoas julgam. De maneira geral, as populações vegetarianas consomem mais ferro que as onívoras. A diferença é que o ferro de origem vegetal é mais sensível aos fatores que promovem ou inibem sua absorção.

A frequência de anemia ferropriva em vegetarianos é a mesma que a de onívoros.

Os compostos que mais inibem a absorção são os polifenóis (encontrados no café, cacau e chás) e o ácido fítico. Os polifenóis podem ser excluídos da alimentação ou utilizados longe dos alimentos ricos em ferro. Já o ácido fítico pode ser bastante reduzido pelo preparo do alimento.

A vitamina C é o composto que mais favorece a absorção do ferro. O uso de alimentos ricos nessa vitamina deve sempre ser associado às refeições, especialmente as mais ricas em ferro.

Acompanhamento laboratorial dos níveis de ferro deve ser realizado igualmente, para vegetarianos e onívoros, periodicamente.

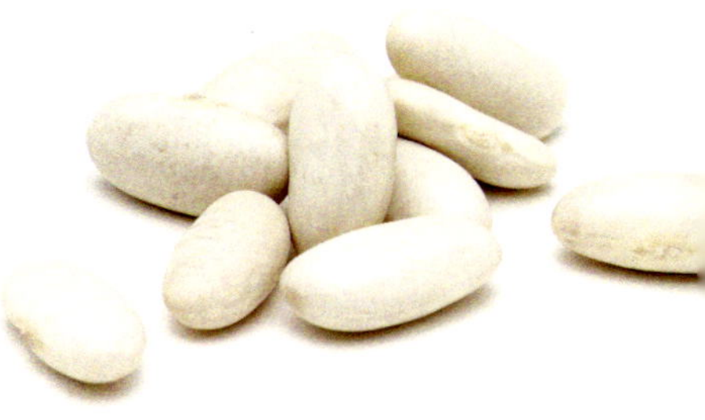

zinco

Zinco e vegetarianismo

A baixa ingestão de zinco é detectada em diversas populações onívoras e vegetarianas no mundo todo. Isso ocorre em países desenvolvidos e em desenvolvimento.

Mais da metade do zinco ingerido pelos norte-americanos, por exemplo, provém de alimentos derivados de animais. O consumo de carne de boi é responsável por um quarto do total de zinco ingerido por aquela população.

Os vegetarianos geralmente ingerem menos zinco que os onívoros. Mesmo assim, a dieta vegetariana pode e costuma fornecer zinco em quantidade suficiente para atender às necessidades nutricionais referentes ao mineral.

Função do zinco no organismo

O zinco faz parte de mais de 300 enzimas, sendo essencial para que inúmeras reações químicas ocorram no nosso organismo. Dentre suas funções mais conhecidas, devemos citar a sua importância para o bom funcionamento do sistema imunológico, assim como para o crescimento de fetos e crianças. Diversas reações metabólicas, como a formação e a degradação dos macronutrientes (proteínas, carboidratos e gorduras) utilizam o zinco.

Quanto zinco há no nosso organismo?

É estimado que a quantidade de zinco que temos no nosso organismo seja de 2 g. Os músculos esqueléticos contêm 60% (1,2 g) e o esqueleto abriga 30% (0,6 g) do total de zinco existente no organismo. O líquido prostático contém de 300 a 500 mg de zinco por litro.

O zinco presente no sangue (plasma) corresponde a apenas 0,1% (0,002 g) do total de zinco corporal. O próprio organismo controla rigorosamente as quantidades de zinco para que os níveis sanguíneos não se alterem.

Não há estoque de zinco extra no corpo! Havendo maior necessidade de zinco, o organismo utiliza o mineral existente nos tecidos (ossos e músculos).

Perda de zinco

O zinco é perdido pela descamação da pele e do intestino, da urina e do suor. As perdas intestinais podem variar de 0,5 a 3 mg por dia. As perdas urinárias e pela descamação da pele, somadas, variam de 0,5 a 0,7 mg por dia. Exercícios extenuantes e altas temperaturas podem aumentar significativamente as perdas de zinco pela transpiração.

O zinco e os alimentos

Os alimentos mais ricos em zinco são as carnes vermelhas magras, os cereais integrais e os feijões. Esses alimentos fornecem 25 a 50 mg de zinco por quilograma do produto cru. Teor moderado de zinco (10 a 25 mg/kg) é encontrado no arroz polido, frango, porco e carnes com alto teor de gordura. Peixes, vegetais amiláceos, folhas verdes e frutas contêm menos do que 10 mg de zinco por quilograma. Gorduras saturadas, óleos, açúcares e álcool contêm muito pouco ou nada de zinco.

O ácido fítico é o fator antinutricional que mais atrapalha a absorção de zinco.

Alimentos integrais contêm ácido fítico. Devo utilizar integrais ou refinados?

Sem dúvida, os Integrais! Os alimentos integrais contêm teor **maior** de ácido fítico, mas também **maior** de zinco. Já os refinados apresentam menor teor de zinco e de ácido fítico.

O consumo de cereal integral é mais eficiente no fornecimento de zinco biodisponível. Se as medidas para reduzir o teor de ácido fítico (veja o capítulo correspondente) forem utilizadas, a biodisponibilidade de zinco melhorará bastante. Dessa maneira, você consegue manter o alto teor de zinco do alimento integral e reduzir o ácido fítico que ele contém. Portanto, utilize sempre os alimentos integrais.

Biodisponibilidade é a quantidade do nutriente presente no alimento que está disponível para absorção.

Por que motivos pode ocorrer deficiência de zinco?

Estado nutricional pobre de zinco pode ocorrer por baixa ingestão e/ou baixa biodisponibilidade do mineral. A proteína da dieta é considerada a maior promotora da absorção de zinco. Como os alimentos vegetais dos grupos dos grãos (cereais) e dos ricos em proteínas contêm também maior teor de ácido fítico, muitos pesquisadores se preocupam com o zinco presente nas dietas vegetarianas. Mas alguns feijões, como o feijão-branco e o tremoço, são comparáveis à proteína animal no que diz respeito à biodisponibilidade do zinco que contêm, mesmo apresentando ácido fítico.

Biodisponibilidade e absorção do zinco

Para determinar a biodisponibilidade do zinco nas dietas, é analisado o teor de ácido fítico e de zinco do alimento e calculada a proporção entre eles. Chamamos essa comparação de "razão molar entre o ácido fítico e zinco". Veja a tabela **Biodisponibilidade de zinco nas dietas.**

O zinco na dieta vegetariana é considerado de moderada biodisponibilidade (absorção de 30 a 35%). A dieta com alimentos pobres em ácido fítico e com proteína animal é considerada de alta biodisponibilidade (50 a 55%). Dietas baseadas em alimentos com alto teor de ácido fítico (de baixa biodisponibilidade) exigem ajustes de planejamento para que a quantidade total de zinco ingerida seja o dobro (50%) da recomendação diária para onívoros. De forma geral, a dieta vegetariana apresenta uma absorção de zinco 35% menor que a onívora. Quando a dieta vegetariana é rica em alimentos de alto teor de ácido fítico, pode ser necessário ingerir mais 50% de zinco para compensar a menor absorção.

Veja a tabela **Recomendação diária de ingestão de zinco.** Os valores considerados ali para os vegetarianos dizem respeito a dietas com baixa biodisponibilidade de zinco. Lembre-se de que a biodisponibilidade do zinco nas dietas vegetarianas costuma ser considerada moderada, e não baixa. Assim, **o valor para vegetarianos, como expresso na tabela, é superestimado.**

RECOMENDAÇÃO DIÁRIA DE INGESTÃO DE ZINCO

Homens	Onívoros	Vegetarianos
Acima de 14 anos	11 mg	16,5 mg
Mulheres	**Onívoras**	**Vegetarianas**
Acima de 19 anos	8 mg	12 mg

Os fatores que interferem na absorção de zinco

• Suplemento versus alimento

A absorção do zinco é diferente se o mineral for proveniente da dieta ou de suplementos: o zinco do alimento é menos absorvido do que o de suplementos. A absorção de zinco também depende da quantidade ingerida do mineral. Quando a dieta é mais pobre em zinco, a absorção é maior, e vice-versa. Para exemplificar, numa dieta com 5,5 mg de zinco por dia, há absorção de 53% de zinco. Quando a quantidade ingerida é de 16,5 mg por dia, a absorção é de 25%.

• Promotores da absorção

Proteína da dieta: o teor proteico da dieta influencia a quantidade de zinco absorvida. A maior ingestão de proteína ocasiona mais zinco ingerido, já que os alimentos proteicos costumam ser boas fontes de zinco. Os alimentos ricos em proteína também melhoram a absorção do mineral. As proteínas de origem animal (carne, ovos e queijos) apresentam efeitos antagônicos ao ácido fítico. Isso ocorre, aparentemente, por causa dos aminoácidos que compõem as proteínas desses alimentos.

Ácidos orgânicos: podem auxiliar na absorção do zinco ingerido. Esses ácidos (cítrico, lático, butírico, fórmico e outros) podem ocorrer naturalmente nos alimentos, ser gerados por processo de fermentação ou ser adicionados aos alimentos como métodos de conservação.

• Inibidores da absorção

Ácido fítico: o ácido fítico reduz a absorção de zinco do alimento. Portanto, comer alimentos ricos nesse ácido junto com outros que contêm zinco reduz a absorção do zinco proveniente deles. Reduzir o ácido fítico dos alimentos promove melhor absorção do zinco da dieta.

Proteína do leite: a caseína, uma proteína do leite, ocasiona diminuição da absorção de zinco.

BIODISPONIBILIDADE DE ZINCO NAS DIETAS

Biodisponibilidade	Característica da dieta
Alta 50 a 55%	Alimentos refinados, pobres em fibras e ácido fítico Proteína de origem animal Ácido fítico-zinco em razão molar* menor que cinco para um
Moderada 30 a 35%	Dieta onívora que contenha proteína animal Dieta vegetariana com base em alimentos não integrais Mais de 50% da energia ingerida proveniente de alimentos integrais que não foram processados para reduzir o seu teor de ácido fítico Ácido fítico-zinco em razão molar entre cinco e 15 para um
Baixa 15%	Dietas com alimentos integrais que não foram processados para reduzir seu teor de ácido fítico Ingestão de proteína animal em quantidade ínfima Soja como base dos alimentos de fonte proteica, sem a utilização de métodos de redução do ácido fítico Ácido fítico-zinco em razão molar maior que 15 para um

*razão molar = razão entre teores de ácido fítico e de zinco na dieta.

TEOR DE ZINCO (Zn) NOS ALIMENTOS

Grupo dos Alimentos ricos em proteína

Leguminosas	Zn (mg)
Azuki, semente madura crua	5,04
Soja, semente madura crua	4,89
Soja, semente madura, torrada	4,77
Feijão-branco cru	3,67
Lentilha crua	3,5
Grão-de-bico	3,43
Fava, semente madura crua	3,14
Ervilha seca, semente madura	3,01
Feijão carioca cru	2,9
Feijão preto cru	2,9
Grão-de-bico, farinha	2,81
Feijão rosinha, semente madura crua	2,55

Derivados de soja	Zn (mg)
Tofu firme (feito com *nigari*)	0,83
Tofu cru (feito com sulfato de cálcio)	0,8
Tofu macio (feito com *nigari*)	0,64
Leite de soja	0,44

Oleaginosas	Zn (mg)
Castanha-de-caju torrada sem sal	5,6
Noz-pecã	4,53
Castanha-do-pará	4,06
Amêndoa	3,36
Amendoim cru	3,27
Avelã	2,45
Pistache cru	2,2
Macadâmia crua	1,3
Coco	0,9
Azeitona em conserva, madura	0,22

Sementes	Zn (mg)
Melancia seca crua	10,24
Gergelim tostada sem sal	10,23
Abóbora assada sem sal	7,44
Girassol seca	5,06
Linhaça	4,34

Derivado de sementes	Zn (mg)
Tahine	4,62

Leite e iogurte	Zn (mg)
Leite de vaca, em pó, desnatado	3,8
Leite de vaca, integral, em pó	2,7
Leite condensado	0,9
Leite de vaca semidesnatado	0,43
Iogurte natural	0,4
Leite de vaca integral	0,38
Leite de cabra	0,3

Queijos	Zn (mg)
Suíço	4,36
Parmesão ralado	3,87
Provolone	3,23
Cheddar	3,11
Mozarela	2,92
Parmesão duro	2,75
Gorgonzola	2,66
Prato	2,6
Brie	2,38
Ricota	1,16
De cabra semimacio	0,66
Cream cheese	0,54

Ovos	Zn (mg)
De codorna, inteiro, cru	1,47
De pato, inteiro, cru	1,41
De galinha, inteiro, cru	1,1
De galinha, inteiro, fervido	1,05

Peixes	Zn (mg)
Sardinha inteira crua	1,3
Bacalhau salgado cru	0,7
Atum fresco cru	0,4
Merluza, filé cru	0,3
Pescada-branca crua	0,3
Pescada, filé, crua	0,3

Carne bovina	Zn (mg)
Lagarto cozido	7
Picanha sem gordura grelhada	6,7
Fraldinha com gordura cozida	6,5
Músculo sem gordura cozido	6,4
Contrafilé sem gordura grelhado	5,1
Coxão duro sem gordura cozido	5
Contrafilé com gordura grelhado	4,8
Coxão mole sem gordura cozido	4,7
Filé mignon sem gordura grelhado	4,1
Fígado grelhado	4
Contrafilé sem gordura cru	3,2
Contrafilé com gordura cru	2,8

Frango	Zn (mg)
Fígado cru	3,7
Coxa sem pele, sem osso, crua	2,2
Coração cru	2
Coxa com pele, sem osso, crua	2
Sobrecoxa, sem pele, sem osso, crua	1,7
Sobrecoxa, com pele, sem osso, crua	1,3
Asa com pele, crua	1,2
Peito sem pele, sem osso, cru	0,7
Peito com pele, sem osso, cru	0,6

Frios	Zn (mg)
Salame, seco ou duro	3,23
Mortadela	2,3
Presunto fatiado extra magro (5% gordura)	1,93
Salsicha bovina e suína	1,84
Presunto fatiado (11% de gordura)	1,35
Mortadela de peru	1,3
Salsicha de frango	1,04
Bacon (sem carne)	0,42

Grupo dos grãos (cereais)

Cereais integrais em grão	Zn(mg)
Aveia	3,97
Centeio	3,73
Trigo duro branco	3,33
Quinoa real	3,3
Cevada	2,77
Trigo sarraceno (mourisco)	2,4
Milho branco	2,21
Arroz integral	1,3

Derivados de cereais integrais	Zinco
Germe de trigo cru	12,29
Farelo de trigo	7,27
Farinha de centeio, escura	5,62
Trigo, farinha integral	2,93

Derivados de cereais integrais	Zn (mg)
Pipoca (feita com óleo)	2,64
Macarrão, trigo integral, cru	2,37
Farinha de cevada	2
Pão, trigo integral	1,94
Pão, centeio integral	1,48
Milho, fubá, cru	1,1
Aveia flocos	1

Cereais refinados	Zn (mg)
Arroz branco	1,2
Macarrão, trigo, cru	0,8
Macarrão, trigo, cru com ovos	0,8
Trigo, farinha branca	0,8
Trigo, pão francês	0,8

Grupo dos Óleos

Óleos	Zn (mg)
Canola	0
Coco	0
Gergelim	0
Girassol, oleico (mais de 70%)	0
Linhaça	0
Milho	0
Oliva	0
Soja	0

Outros	Zn (mg)
Banha	0,11
Manteiga	0,09
Margarina de milho	0
Gordura vegetal hidrogenada	0

Os valores expostos foram retirados da tabela Taco quando havia valores encontrados para ferro, cálcio, zinco, proteína e vitamina C. Na falta desses dados, eles foram todos retirados do Departamento de Agricultura dos Estados Unidos. Não há valores misturados (das duas tabelas utilizadas) para o mesmo alimento.

Valores correspondentes em mg de zinco em 100 g da parte comestível do produto

Grupo das Hortaliças

Verduras e brotos	Zn (mg)
Broto de trigo	1,65
Broto de lentilha cru	1,51
Broto de bambu cru	1,1
Broto de alfafa cru	0,92
Agrião	0,7
Espinafre cru	0,53
Brócoli cru	0,5
Alcachofra cozida sem sal	0,49
Rúcula crua	0,47
Chicória	0,42
Couve-de-bruxelas crua	0,42
Acelga crua	0,36
Alface crespa crua	0,3
Alface lisa crua	0,3
Almeirão	0,3
Couve-flor cozida	0,3
Repolho vermelho cru	0,22
Mostarda crua	0,2
Repolho chinês (*pak-choi*) cru	0,19
Repolho cru	0,18
Couve manteiga crua	0,13
Salsão cru	0,13
Algas*	**Zn (mg)**
Ágar, seco	5,8
Espirulina seca	2
Ágar, cru	0,58
Legumes	**Zn (mg)**
Ervilha verde, cru	1,24
Palmito (lata)	1,15
Aspargo cozido, drenado	0,6

Legumes	Zn (mg)
Quiabo cru	0,6
Beterraba	0,5
Bardana cozida	0,38
Abóbora capotian	0,3
Vagem crua	0,3
Abobrinha	0,2
Cenoura	0,2
Maxixe	0,2
Nabo cru	0,2
Pimentão amarelo	0,2
Pimentão vermelho	0,2
Rabanete	0,2
Beringela	0,1
Chuchu cru	0,1
Jiló cru	0,1
Pepino	0,1
Pimentão verde	0,1
Tomate cru com semente	0,1
Abóbora	0
Cogumelos*	**Zn (mg)**
Shiitake seco	7,66
Champignon cru	0,52
Amiláceos	**Zn (mg)**
Castanha portuguesa crua sem pele	0,49
Inhame cru	0,3
Batata-baroa	0,2
Batata-doce	0,2
Batata-inglesa	0,2
Cará cru	0,2
Mandioca crua	0,2

Condimentos

In natura	Zn (mg)
Cerefólio, seco	8,8
Sálvia, moída	4,7
Pimenta vermelha (caiena)	2,48
Salsa crua	1,3
Hortelã fresca	1,09
Alecrim fresco	0,93
Alho cru	0,8
Coentro, folha crua	0,5
Manjericão cru	0,5
Gengibre cru	0,34
Alcaparra enlatada	0,32
Cebolinha	0,3
Pimenta *hot chili* vermelha crua	0,26
Cebola	0,2
Alho-poró, bulbo e parte inferior da folha, cru	0,12
Secos	**Zn (mg)**
Cardamomo moído	7,47
Tomilho, moído	6,18
Mostarda, semente amarela	5,7
Endro, semente	5,2
Cominho, semente	4,8
Coentro, folha seca	4,72
Coentro, semente	4,7
Orégano, moído	4,43
Páprica	4,06
Curry	4,05
Estragão moído	3,9
Louro	3,7
Noz-moscada moída	2,15
Canela em pó	1,97
Pimenta-do-reino	1,42
Pimenta-branca	1,13
Açafrão	1,09
Cravo-da-índia moído	1,09

Grupo das frutas

Frutas frescas	Zn (mg)
Abacate	0,64
Jaca	0,42
Maracujá	0,4
Banana-ouro	0,3
Goiaba	0,23
Banana-da-terra	0,2
Banana-nanica	0,2
Damasco	0,2
Morango	0,2
Pêssego	0,17
Amora	0,12
Carambola	0,12
Romã	0,12
Caqui japonês	0,11
Abacaxi	0,1
Acerola	0,1
Ameixa	0,1
Banana-maçã	0,1
Banana-prata	0,1
Caju	0,1

Frutas frescas	Zn (mg)
Figo	0,1
Kiwi	0,1
Laranja-baía com bagaço	0,1
Laranja-pera com bagaço	0,1
Mamão Formosa	0,1
Manga Tommy Atkins	0,1
Melancia	0,1
Pera Williams	0,1
Sapoti	0,1
Tamarindo	0,1
Melão	0,09
Cereja	0,07
Mamão papaia	0,07
Tangerina	0,07
Nêspera	0,05
Marmelo	0,04
Maçã Fuji	0
Pitanga	0
Uva Itália	0

Frutas secas	Zn (mg)
Damasco desidratado	1
Banana	0,61
Pêssego desidratado	0,57
Figo desidratado	0,55
Caqui japonês	0,42
Tâmara	0,29
Uva passa sem semente	0,22
Uva passa com semente	0,18
Sucos**	**Zn (mg)**
Limão galego	0,1
Laranja	0,05
Laranja-baía	0
Tangerina poncã	0

Açúcares e mel	Zn (mg)
Melado de cana	0,29
Açúcar mascavo	0,18
Mel	0,22
Açúcar cristal	< 0,05
Açúcar refinado	< 0,01

* Algas e cogumelos não são vegetais mas têm características nutricionais que os aproximam das hortaliças.

** sem adição de água

• Fatores que não interferem na absorção

Fibra: assim como no caso do ferro e do cálcio, a fibra foi culpada pela diminuição de absorção do zinco por estudos que não consideraram o teor de ácido fítico no alimento. As fibras, sozinhas, não atrapalham a absorção de zinco.

Ferro: a interação do ferro com o zinco na dieta e em suplementos pode acontecer, mas nem sempre é significativa para atrapalhar o estado nutricional de zinco.

Cálcio: o seu uso, mesmo em altas doses, não influencia a absorção de zinco. O efeito negativo do cálcio é causado por sua interação com o ácido fítico, potencializando o efeito inibidor dele sobre o zinco.

Cobre: assim como o ferro, a ingestão de cobre não afeta a absorção de zinco, a menos que haja **alta** ingestão de cobre (como no caso de ingestão de água contaminada por cobre) com **baixa** ingestão de zinco (como na dieta carente em zinco).

Quais são os sinais e sintomas de deficiência de zinco?

Na deficiência grave de zinco, ocorre retardo de crescimento, atraso de desenvolvimento sexual e ósseo, lesões de pele, diarreia, queda de cabelo, perda de apetite e do paladar, assim como maior susceptibilidade a infecções por causa da menor eficiência do sistema imunológico.

Atenção: os sinais e sintomas da deficiência grave de zinco, citados acima, são bem conhecidos. No entanto, os efeitos da deficiência marginal ou moderada de zinco são pouco conhecidos. Isso quer dizer que, **se uma pessoa estiver com pouco zinco no organismo, mas ainda não com deficiência grave, é muito difícil detectar essa deficiência.**

Diagnóstico da deficiência de zinco

No diagnóstico da deficiência de zinco levam-se muito em conta os sinais e sintomas. A dosagem do mineral no sangue não é um método confiável para avaliar o estado nutricional do mineral. Lembre-se de que o organismo faz de tudo para que os níveis de zinco no sangue não se alterem. Baixa ingestão de zinco (2,6 a 3,6 mg por dia) não altera o teor de zinco circulante no sangue e nem sua atividade nas enzimas por diversos meses. Ao mesmo tempo, há situações, como o jejum prolongado, que podem aumentar os níveis de zinco. A dosagem de zinco no sangue é mais apropriada para crianças, que apresentam resposta clínica à terapia com zinco para crescimento e diarreia. A análise de zinco no cabelo também não é um bom método de diagnóstico de deficiência do mineral.

A avaliação de deficiência moderada de zinco encontra muitas dificuldades técnicas. A deficiência moderada pode ser mais bem detectada pela resposta positiva à suplementação do mineral. Os estudos realizados sobre suplementação mostram redução da diarreia em 18% e pneumonia em 41% das pessoas que tomaram zinco. A duração da diarreia, quando presente, também diminui.

Excesso de zinco ingerido

A ingestão excessiva de zinco geralmente ocorre por excesso de suplemento ou por intoxicação acidental. Doses de 2 g de zinco ingeridas de uma só vez causam náuseas, vômito, diarreia, febre e letargia. A ingestão de 50 mg ao dia de zinco afeta o estado nutricional de cobre. As recomendações atuais estabelecem o valor de 40 mg por dia de zinco como o limite máximo aceito de ingestão.

Conclusão

Os estudos realizados não encontraram deficiência clínica de zinco nos vegetarianos. No entanto, como a deficiência moderada não apresenta sinais e sintomas definidos, assim como não há método confiável de avaliação laboratorial dessa deficiência, é recomendado que os vegetarianos planejem as suas refeições para atingir pelo menos a mesma ingestão de zinco recomendada para onívoros.

Os vegetarianos que utilizam predominantemente alimentos integrais (como é recomendado) devem estar mais atentos ao zinco, por causa de sua biodisponibilidade. É recomendado reduzir o teor de ácido fítico dos alimentos pelos métodos indicados no capítulo sobre fatores antinutricionais. Lembre-se de que esse ácido é o principal inibidor da absorção do zinco.

Escolha alimentos ricos em zinco para compor o seu cardápio. Veja a tabela **Teor de zinco nos alimentos.**

cálcio

O mineral dos ossos

O cálcio é o quinto elemento mais abundante no planeta. Mesmo assim, a população mundial apresenta elevado índice de inadequação às quantidades de cálcio recomendadas. Vamos conversar um pouco sobre esse mineral.

Funções do cálcio no organismo

O cálcio é necessário para a coagulação do sangue, para a contração muscular, assim como para que diversos processos metabólicos ocorram. O cálcio é fundamental para a constituição óssea. Mais de 99% do cálcio presente no organismo humano está nos ossos e nos dentes, e menos de 1%, nos líquidos e células do corpo. Os ossos podem ser considerados nosso depósito de cálcio.

Baixa ingestão de cálcio está associada a hipertensão arterial e câncer de intestino grosso.

Depósitos de cálcio no organismo

Ao nascer, o bebê tem 30 g de cálcio no seu organismo. O corpo humano adulto contém cerca de 1 a 1,2 kg de cálcio. A deposição de cálcio nos ossos diminui de forma bastante significativa após a fase de crescimento, quando a retirada do cálcio dos ossos tende a se equiparar à deposição. Uma pessoa alcança sua massa óssea máxima entre os 20 e 30 anos e a mantém até os 35 ou 45 anos de idade.

Após os 45 anos de idade ocorre diminuição progressiva da massa óssea. Essa modificação é diferente em homens e mulheres: nos homens, essa perda é gradual e constante; nas mulheres, ela se intensifica nos dez anos seguintes à parada da menstruação (menopausa). Após esse período, a perda se torna semelhante à dos homens. Dessa forma, na idade avançada, as mulheres costumam apresentar uma massa óssea menor que os homens, em decorrência principalmente, da maior perda ocorrida nos dez anos seguintes à menopausa.

Osteopenia e osteoporose

A perda de cálcio ósseo fica evidente com o envelhecimento e pode acarretar fraturas, pois o osso fica fraco. A osteopenia é um estágio anterior à osteoporose. Na osteopenia, há menos massa óssea do que seria considerado normal, mas a perda ainda não é tão intensa para receber o nome de osteoporose. Como definição, osteoporose é uma doença do esqueleto como um todo, caracterizada por uma baixa massa óssea e deterioração da arquitetura do osso, com consequente aumento da fragilidade e susceptibilidade a fraturas.

Na mulher, no período do climatério, a redução dos níveis hormonais (estrogênios principalmente) acarreta maior velocidade de perda óssea. Os estrogênios derivados de vegetais, ou fitoestrogênios, podem ser utilizados na tentativa de minimizar a perda óssea. Calcula-se que cerca de 46% das mulheres brasileiras após a menopausa (mais de 50 anos) têm osteoporose. As mulheres são quatro vezes mais acometidas pela osteoporose que os homens.

Atenção: o cálcio é um dos fatores implicados na osteoporose, mas não é o único.

É recomendado que você tenha uma ingestão adequada de cálcio, principalmente nas primeiras duas décadas de vida, para minimizar as chances de ter osteoporose entre os 60 e 80 anos de idade. No entanto, a massa óssea também tem relação com a prática de atividade física, níveis hormonais (como o de estrogênio), obesidade, fatores ambientais, uso de medicações (que podem interferir negativamente na biodisponibilidade de cálcio, como anticonvulsivantes, corticoides e antiácidos, que contêm alumínio), assim como fatores nutricionais. Outros fatores que influenciam a saúde óssea: idade, genética, doenças que alteram a absorção de nutrientes ou o metabolismo ósseo, doenças do fígado e dos rins.

Biodisponibilidade e absorção do cálcio

Sempre que falamos em biodisponibilidade do cálcio estamos nos referindo à quantidade de cálcio do alimento que pode ser absorvida e utilizada no organismo.

O leite é considerado uma fonte de cálcio de boa biodisponibilidade. A biodisponibilidade do cálcio do leite é similar à dos laticínios. A absorção de cálcio é intensificada pelo ácido cítrico (presente em diversos alimentos de origem vegetal).

A fibra, sozinha, não atrapalha a absorção de cálcio.

A eficiência na absorção de cálcio aumenta durante períodos de alta necessidade, como na infância. Crianças podem absorver 75% do cálcio ingerido, enquanto os adultos absorvem de 20 a 40%. As mulheres apresentam um declínio na eficiência de absorção de cálcio entre 20 a 35% entre os 40 e 60 anos de idade.

A absorção de cálcio costuma depender da vitamina D.

A absorção de cálcio é mais eficiente no início do intestino delgado. No intestino grosso, a absorção de cálcio ocorre na sua parte inicial. O intestino grosso pode ser responsável pela absorção de mais de 10% do cálcio total absorvido. Para que essa absorção seja eficiente, é necessário que a flora intestinal esteja adequada para produzir um meio ácido. É aí que entram os prebióticos, que já mencionei em capítulos anteriores.

Prebióticos são compostos alimentares não-digeríveis, que estimulam o crescimento e/ou a atividade de um número limitado de bactérias (benéficas) no intestino grosso. Assim, esses compostos harmonizam a flora intestinal e permitem a existência de um meio ácido, favorável à absorção do cálcio.

Os prebióticos ocorrem naturalmente na alcachofra, cebola, chicória, escarola, alho, alho-poró e nos alimentos do grupo dos cereais (em menor quantidade que nos alimentos citados anteriormente). A chicória é a fonte mais rica. Alguns outros prebióticos (rafinose e estaquiose) ocorrem nos feijões e na soja.

Cerca de 27% do cálcio que chega no sangue depois de absorvido pelo intestino são excretados. O restante fica retido no esqueleto. Havendo pouca ingestão de cálcio, o esqueleto libera-o para o sangue. Do mesmo modo, havendo ingestão elevada de cálcio, o excedente pode ser fixado no osso.

Assim, quando ingerimos pouco cálcio estamos colocando em risco a integridade do esqueleto, pois o cálcio é retirado dele. Se a ingestão é baixa e constante, a perda com o passar do tempo pode ser muito grande.

Quanto precisamos ingerir de cálcio?

Essa é uma pergunta muito importante, mas ainda não temos uma resposta definitiva para ela. Ninguém sabe com precisão a quantidade de cálcio necessária diariamente para a manutenção da saúde. A tabela **Recomendação de ingestão de cálcio** mostra os valores preconizados de ingestão em diversos países. A recomendação a ser seguida, por não se basear apenas na necessidade de cobrir a perda diária de cálcio (mas sim por ser uma quantidade que favorece a melhor retenção de cálcio para o osso), e por ser considerada a mais segura, é a dos Estados Unidos, de 1.000 mg por dia.

RECOMENDAÇÃO DE INGESTÃO DE CÁLCIO EM DIFERENTES PAÍSES

Países	Cálcio (mg)
Austrália	800
França	800
Alemanha	800
Índia	450
México	500
Países Baixos	900
Escandinávia	600
Reino Unido	700
Estados Unidos (e Brasil)	
Homens e mulheres de 19 a 50 anos	1.000
Homens e mulheres acima dos 50 anos	1.200

A ingestão de cálcio por vegetarianos

A quantidade de cálcio ingerida não é um problema para os vegetarianos que utilizam leite e queijos regularmente, e costuma ser mais adequada que a dos onívoros. No entanto, para os veganos, ela costuma estar abaixo do recomendado, geralmente entre 500 a 700 mg por dia.

Que exames indicam como está o estado nutricional de cálcio?

A medida da massa óssea é considerada a melhor maneira de estimar o estado de cálcio no organismo ao longo do tempo. Isso é feito pelo exame de densitometria óssea. No entanto, ele nos mostra o estado de cálcio ao longo do tempo, não sendo um bom exame para diagnosticar o estado nutricional em curto prazo. Vamos apenas lembrar que a massa óssea depende de diversos fatores, que vimos anteriormente. Assim, a densitometria óssea não avalia exclusivamente o cálcio, mas sim a interação dos diversos fatores responsáveis pela saúde do osso.

A medida isolada do cálcio no sangue não tem valor em termos nutricionais. Para avaliá-lo é necessário um conjunto de exames.

Como é a massa óssea dos vegetarianos?

Revisão da literatura médica internacional mostra que não há diferença entre a massa óssea de vegetarianos e onívoros. O impacto do vegetarianismo sobre a saúde óssea é muito difícil de ser avaliado. Não podemos considerar apenas a quantidade de cálcio ingerida. Há diversos fatores da dieta que podem interferir no metabolismo ósseo, como o teor de cálcio, de proteína, alimentos alcalinizantes, vitamina K e fitoestrógenos. Outros fatores, como atividade física e uso de medicações, também podem interferir. Falarei sobre esses fatores a seguir. O fato é que os vegetarianos costumam apresentar esses fatores mais bem direcionados para a saúde óssea que os onívoros.

Intolerância à lactose

A lactose é o açúcar do leite. Em algumas pessoas, a enzima que digere esse açúcar, a lactase, pode estar parcial ou totalmente inativa: são indivíduos intolerantes à lactose. Intolerância à lactose pode se manifestar como diarreia, flatulência, distensão abdominal, cólicas intestinais e ruídos intestinais aumentados toda vez que o leite ou seus derivados são ingeridos.

Cerca de 25% dos adultos norte-americanos, 85% dos asiáticos, 50% dos negros norte-americanos e 10% dos brancos (caucasianos) dos Estados Unidos apresentam intolerância à lactose. No Brasil, estima-se que pelo menos 12% das crianças sofram do problema.

Cerca de 55 a 75% do cálcio ingerido pelos norte-americanos são provenientes de laticínios. Entre os brasileiros, mais da metade do cálcio ingerido vem de leite e derivados, que compõem 6,33% do total de calorias consumidas segundo o Instituto Brasileiro de Geografia e Estatística (IBGE).

As pessoas que baseiam o cálcio da alimentação em laticínios e que apresentam intolerância à lactose podem ter dificuldade em atingir os níveis de ingestão de cálcio preconizados.

O cálcio e os alimentos

Assim como para o ferro e o zinco, não basta simplesmente ingerir o cálcio. Precisamos saber quanto conseguimos absorver do cálcio existente no alimento. É o conceito de biodisponibilidade, lembra? Biodisponibilidade é a quantidade do nutriente presente no alimento que se consegue absorver. Veja, nas tabelas das próximas páginas, que alguns alimentos, apesar de fornecerem pouco cálcio total, permitem aproveitar a maior parte do mineral, como brócolis. Outros, como o feijão-branco, fornecem bastante cálcio total, mas com baixa biodisponibilidade.

A preocupação com o cálcio proveniente dos alimentos vegetais é decorrente, principalmente, de dois compostos: o ácido fítico e o ácido oxálico (fitato e oxalato), que podem dificultar a absorção do cálcio proveniente dos alimentos (veja o capítulo **Fatores antinutricionais**). Comer alimentos ricos em ácidos fítico e oxálico equivale a ingerir menos cálcio, pois ele se torna menos absorvido. Uma exceção a essa regra é a soja, que é rica nos dois compostos, mas preserva uma boa biodisponibilidade de cálcio. Os alimentos pobres em oxalato e fitato podem apresentar uma biodisponibilidade duas vezes maior que a encontrada no leite. Esses alimentos são do grupo das brássicas (antigamente chamadas de crucíferas).

Alguns outros componentes já foram estudados, mas demonstraram não afetar a absorção ou excreção de cálcio, como fosfato, magnésio e cafeína. A gordura dos alimentos, ao contrário do que se supunha antigamente, não interfere na absorção de cálcio, a menos que esteja associada a alguma doença que altere a digestão de gorduras.

BIODISPONIBILIDADE DO CÁLCIO

Alimento	Biodisponibilidade
Brócolis	61,30%
Repolho-chinês	53,80%
Couve	49,30%
Mostarda chinesa	40,20%
Leite	32,10%
Iogurte	32,10%
Queijo *cheddar*	31,20%
Tofu com cálcio	31%
Feijão azuki	24,40%
Batata-doce	22,20%
Feijão-branco	21,80%
Ruibarbo	8,54%
Espinafre	5,10%

Brássica: este termo não é muito conhecido entre os leigos, mas é muito comentado entre nutricionistas. É importante que você o conheça. As brássicas (ou crucíferas) são os alimentos derivados de um grupo de plantas do gênero *Brassica*. São riquíssimas em cálcio de alta absorção. Leia o capítulo sobre os fatores antinutricionais para entender o porquê. Seus representantes são o nabo (raiz), a couve, o repolho, a couve-de-bruxelas, a couve-flor e os brócolis.

Sal: o sal é o fator mais importante implicado na perda de cálcio pela urina. A cada 2.300 mg de sódio excretado na urina, vão junto 40 a 60 mg de cálcio. Assim, quanto mais sal ingerimos, mais cálcio sai pela urina. Quando reduzimos a ingestão de sal, diminuem as perdas de cálcio. **O hábito de dietas com alto teor de sódio por tempo prolongado pode ser responsável pela perda de 7,5 a 10% do estoques de cálcio num período de dez anos.** Lembre-se de que o estoque de cálcio se chama esqueleto!

Proteína: antigamente, acreditava-se que a proteína era uma grande vilã do esqueleto, pois, ao se ingerir mais proteína, ocorre maior perda de cálcio pela urina. Cada 1 g de proteína ingerida em excesso ao dia resulta numa perda adicional diária de mais de 1,75 mg de cálcio. Cada 50 g de incremento na ingestão de proteínas aumenta a perda de cálcio em 60 mg/dia. Porém, na época em que esses estudos foram realizados, não havia o conhecimento de que esse aumento de ingestão fazia aumentar, ao mesmo tempo, a absorção do cálcio. Novos estudos, com técnicas e metodologias mais apuradas,

TEOR DE CÁLCIO NOS ALIMENTOS

Grupo dos alimentos ricos em proteína

Leguminosas	Ca (mg)
Soja, semente madura crua	277
Feijão-branco cru	240
Soja, semente madura torrada	140
Feijão-rosinha, semente madura crua	130
Feijão-carioca cru	123
Feijão-preto cru	111
Grão-de-bico	105
Fava, semente madura crua	103
Azuki, semente madura crua	66
Ervilha seca, semente madura	55
Lentilha crua	54
Grão-de-bico, farinha	45

Derivados de soja	Ca (mg)
Tofu cru (feito com sulfato de cálcio)	350
Aguê	300
Tofu firme (feito com *nigari*)	201
Tofu macio (feito com *nigari*)	111
Leite de soja	38

Oleaginosas	Ca (mg)
Amêndoa	248
Castanha-do-pará	160
Avelã	114
Pistache cru	107
Amendoim cru	92
Azeitona em conserva madura	88
Macadâmia crua	85
Noz pecã	70
Castanha-de-caju torrada sem sal	45
Coco	7

Sementes	Ca (mg)
Linhaça	255
Gergelim tostada sem sal	131
Girassol seca	116
Melancia seca crua	54
Abóbora assada sem sal	43

Derivados de sementes	Ca (mg)
Tahine	426

Leite e Iogurte	Ca (mg)
Leite de vaca, pó desnatado	1363
Leite de vaca, integral em pó	890
Leite condensado	246
Iogurte natural	143
Leite de cabra	134
Leite de vaca integral	119
Leite de vaca semidesnatado	117

Queijos	Ca (mg)
Parmesão duro	1184
Parmesão ralado	1109
Suíço	791
Provolone	756
Cheddar	721
Prato	650
Gorgonzola	528
Mozarela	505
De cabra semimacio	298
Ricota	207
Brie	184
Cream cheese	80

Ovos	Ca (mg)
Ovo de codorna, inteiro, cru	64
Ovo de pato, inteiro, cru	64
Ovo de galinha, inteiro, fervido	50
Ovo de galinha, inteiro, cru	42

Peixes	Ca (mg)
Sardinha inteira crua	167
Bacalhau salgado cru	157
Merluza, filé cru	20
Pescada, branca crua	16
Pescada, filé crua	14
Atum fresco cru	7

Carne bovina	Ca (mg)
Fígado grelhado	6
contrafilé sem gordura grelhado	5
Músculo sem gordura cozido	5
contrafilé com gordura cru	4
contrafilé com gordura grelhado	4
Contrafilé sem gordura cru	4
Coxão duro sem gordura cozido	4
Coxão mole sem gordura cozido	4
Filé mignon sem gordura grelhado	4
Lagarto cozido	4
Picanha sem gordura grelhado	4
Fraldinha com gordura cozida	3

Frango	Ca (mg)
Asa com pele crua	11
Coxa com pele, sem osso, crua	8
Coxa sem pele, sem osso, crua	8
Peito com pele, sem osso, cru	8
Peito sem pele, sem osso, cru	7
Sobrecoxa, com pele, sem osso, crua	7
Coração cru	6
Sobrecoxa, sem pele, sem osso, crua	6
Fígado cru	6

Frios	Ca (mg)
Mortadela de peru	123
Salsicha de frango	95
Mortadela bovina e suína	85
Presunto fatiado (11% de gordura)	24
Bacon (sem carne)	23
Salsicha bovina e suína	11
Presunto fatiado extra magro (5% de gordura)	9
Salame, seco ou duro	8

Grupo dos grãos (cereais)

Cereais integrais em grão	Ca(mg)
Quinoa real	60
Aveia	54
Centeio	33
Cevada	33
Trigo duro branco	32
Trigo sarraceno (mourisco)	18
Arroz integral	7
Milho branco	7

Derivados de cereais integrais	Ca (mg)
Farelo de trigo	73
Pão, trigo integral	72
Pão, centeio integral	68
Farinha de centeio, escura	56

Derivados de cereais integrais	Ca (mg)
Aveia flocos	48
Macarrão, trigo integral, cru	40
Germe de trigo cru	39
Trigo, farinha integral	34
Farinha de cevada	32
Pipoca (feita com óleo)	10
Milho, fubá, cru	3

Cereais refinados	Ca (mg)
Macarrão, trigo, cru com ovos	19
Macarrão, trigo, cru	17
Trigo, farinha branca	16
Trigo, pão francês	16
Arroz branco	4

Grupo dos Óleos

Óleos	Ca (mg)
Oliva	1
Canola	0
Coco	0
Gergelim	0
Girassol, oleico (mais de 70%)	0
Linhaça	0
Milho	0
Soja	0

Outros	Ca (mg)
Margarina de milho	30
Manteiga	24
Banha	0
Gordura vegetal hidrogenada	0

Os valores expostos foram retirados da tabela Taco quando havia valores encontrados para ferro, cálcio, zinco, proteína e vitamina C. Na falta desses dados, eles foram todos retirados do Departamento de Agricultura dos Estados Unidos. Não há valores misturados (das duas tabelas utilizadas) para o mesmo alimento.

Valores correspondentes em mg de Cálcio em 100 g da parte comestível do produto

Grupo das Hortaliças

Verduras e brotos	Ca (mg)
Rúcula crua	160
Couve manteiga crua	145
Agrião	133
Mostarda crua	103
Chicória	100
Espinafre cru	99
Brócolis crus	86
Acelga crua	51
Repolho cru	47
Alcachofra cozida sem sal	45
Repolho vermelho cru	45
Couve-de-bruxelas crua	42
Salsão cru	40
Alface crespa crua	38
Broto de trevo	32,85
Broto de alfafa cru	32
Alface lisa crua	28
Broto de trigo	28
Broto de lentilha cru	25
Couve-flor cozida	18
Broto de bambu cru	13
Repolho chinês *(pak-choi)* cru	10,5

Algas* desidratadas	Ca (mg)
Ágar seco	625
Ágar cru	54
Espirulina seca	120
Nori	0

Legumes	Ca (mg)
Quiabo cru	81
Palmito (lata)	58
Bardana cozida	49
Nabo cru	42
Vagem crua	41
Ervilha verde crua	25
Aspargo cozido, drenado	23
Cenoura	23
Maxixe	21
Rabanete	21
Jiló cru	20
Abóbora capotian	18
Beterraba	18
Abobrinha	15
Chuchu cru	12
Pepino	10
Pimentão amarelo	10
Abóbora	9
Beringela	9
Pimentão verde	9
Tomate cru com semente	7
Pimentão vermelho	6

Cogumelos*	Ca (mg)
Castanhos	23,3
Dinamarquês	18
Pleurotus branco e *salmon*	5,3
Champignon cru	3
Shimeji escuro	1,1
Shiitake seco	11

Amiláceos	Ca (mg)
Batata-doce	21
Castanha portuguesa crua sem pele	19
Batata-baroa	17
Mandioca crua	15
Inhame cru	12
Batata-inglesa	4

Condimentos

In natura	Ca (mg)
Sálvia moída	1652
Cerefólio seco	1346
Alecrim fresco	317
Manjericão cru	211
Hortelã fresca	199
Salsa crua	179
Pimenta vermelha (caiena)	148
Cebolinha	80
Coentro, folha crua	67
Alho-poró, bulbo e parte inferior da folha, cru	59
Alcaparra enlatada	40
Gengibre cru	16
Alho cru	14
Cebola	14
Pimenta *hot chili* vermelha crua	14

Secos	Ca (mg)
Tomilho, moído	1890
Orégano, moído	1576
Endro, semente	1516
Coentro, folha seca	1246
Canela em pó	1228
Estragão moído	1139
Cominho, semente	931
Louro	834
Coentro, semente	709
Cravo-da-índia moído	646
Mostarda, semente amarela	521
Curry	478
Pimenta-do-reino	437
Cardamomo moído	383
Pimenta-branca	265
Noz-moscada moída	184
Páprica	177
Açafrão	111

Grupo das frutas

Frutas frescas	Ca (mg)
Tamarindo	74
Amora	39
Tangerina	37
Jaca	34
Figo	27
Mamão Formosa	25
Kiwi	24
Mamão papaia	24
Abacaxi	22
Sapoti	21
Goiaba	18
Nêspera	16
Cereja	13
Damasco	13
Abacate	12
Acerola	12
Marmelo	11
Morango	11
Pitanga	9
Banana prata	8
Caqui japonês	8
Manga Tommy Atkins	8
Melancia	8
Pera Williams	8
Uva Itália	7
Ameixa	6
Melão	6
Pêssego	6
Maracujá	5
Banana-maçã	3
Banana-nanica	3
Banana-ouro	3
Carambola	3
Romã	3
Maçã Fuji	2
Caju	1
Ameixa *umeboshi (conserva)*	27

Frutas secas	Ca (mg)
Figo desidratado	162
Damasco desidratado	61
Uva passa sem semente	50
Tâmara seca	39
Pêssego desidratado	28
Uva passa com semente	28
Caqui japonês seco	25
Banana	22

Sucos**	Ca (mg)
Tangerina poncã	13
Laranja	11
Limão-galego	5

Açúcares e mel	Ca (mg)
Melado de cana	205
Açúcar mascavo	85
Açúcar cristal	8
Mel	6
Açúcar refinado	4

* Algas e cogumelos não são vegetais mas têm características nutricionais que os aproximam das hortaliças.

**sem adição de água

demonstram que as dietas mais ricas em proteína, além de aumentarem a perda urinária de cálcio pela urina, também elevam a **absorção** do cálcio ingerido. Assim, o balanço é preservado.

É recomendado que as pessoas tenham uma ingestão diária de 0,8 a 1 g de proteína por quilograma de peso corporal por dia para otimizar a absorção de cálcio ingerido. Uma dieta com teor adequado de proteína, como costuma ser a vegetariana, pode elevar a absorção de cálcio em 8%. Nas dietas hipoproteicas (com pouca proteína), assim como nas hiperproteicas (com muita proteína), ocorre um balanço pouco favorável com relação ao cálcio.

Alguns aminoácidos que compõem a proteína determinam seu poder de excretar cálcio pela urina. Esses aminoácidos são chamados de sulfurados (cisteína, metionina), pois contêm enxofre. O enxofre, após reações químicas no organismo, produz ácidos. Como o cálcio é utilizado para neutralizar os ácidos, consumir esses aminoácidos resulta no aumento da perda de cálcio pela urina. A proteína animal é uma grande fonte de aminoácidos sulfurados. O consumo de "água sulfurada" (dita "medicinal") também pode intensificar a perda de cálcio pela urina. Evite-a.

Atenção: o efeito nocivo da proteína só parece ser significativo quando a ingestão de cálcio é baixa e a proteína é rica em aminoácidos sulfurados.

A ingestão de proteína animal causa mais perda urinária de cálcio que a vegetal, quando em excesso. Isso pode ser explicado pelo maior teor de aminoácidos sulfurados presentes na proteína animal.

Cafeína: a ingestão de cafeína causa aumento da excreção urinária de cálcio logo após sua ingestão, mas essa perda é compensada pelo organismo. Assim, ao somar a quantidade de cálcio perdida em 24 horas pela urina, ela não é significativamente maior que a que ocorre sem o uso de cafeína. Assim, o café não pode ser considerado um vilão para o cálcio.

Ácidos fítico e oxálico: esses dois ácidos são abordados no capítulo sobre fatores antinutricionais por sua importância na dieta vegetariana. O oxalato é o pior dos inibidores da absorção de cálcio.

Cálcio do leite ou dos alimentos vegetais

A dieta vegana bem planejada mantém o estado nutricional de cálcio tão bem quanto a lactovegetariana (que costuma ser igual, ou melhor, que a onívora quanto ao teor de cálcio, e melhor em termos de proteínas). O cálcio proveniente do leite ou dos alimentos vegetais pode ser muito bem assimilado, tanto em termos de absorção quanto em retenção óssea.

O uso de leite de soja fortificado (240 mg de cálcio por 200 ml) é uma excelente opção para otimizar a ingestão de cálcio.

Dieta alcalinizante

A dieta vegetariana costuma ser bem mais alcalinizante que a onívora, poupando a massa óssea. O consumo de frutas e verduras (que têm efeito alcalinizante) mostra efeito positivo na saúde óssea.

Fitoestrógenos e cálcio

Os fitoestrógenos pertencem a um grupo de compostos chamados polifenóis. Os fitoestrógenos podem se comportar como o estrógeno (hormônio produzido pelo corpo humano), mas têm a sua ação mais de dez mil vezes mais fraca. O composto mais conhecido desse grupo é a isoflavona, encontrada em grande quantidade na soja, mas também em outros alimentos do grupo dos grãos (cereais).

Os fitoestrógenos reduzem a retirada do cálcio do osso.

O melhor efeito das isoflavonas ocorre quando elas são ingeridas juntamente com alimentos que contêm prebióticos (inulina, por exemplo), pois é necessário que haja uma flora intestinal adequada para transformar os glicosídeos (forma precursora dos fitoestrógenos) em isoflavonas. Assim, para que a biodisponibilidade das isoflavonas seja ampliada, é necessário que o indivíduo tenha uma flora intestinal adequada. Isso se faz com o uso adequado de fibras e prebióticos.

Vitamina K e osso

A vitamina K pode ter origem na alimentação, principalmente nas folhas, sendo a couve a mais rica delas, mas também pode ser formada pela flora intestinal. Ela é fundamental para manter a integridade das proteínas que, assim como o cálcio, compõem os ossos.

Dicas para melhorar o aproveitamento de cálcio pelo organismo

1 • Utilize alimentos ricos em cálcio. Veja a tabela **Teor de cálcio nos alimentos**. Utilize os condimentos, pois contêm bastante cálcio. Prefira a cebolinha em vez da cebola, assim como os temperos verdes (salsa, hortelã, etc.).

2 • Mantenha boa ingestão de vitamina D ou contato com o sol. Leia o capítulo sobre a vitamina D.

3 • Utilize os prebióticos e os alimentos integrais.

4 • Mantenha uma alimentação rica em vitamina K, com vegetais folhosos. O intestino saudável produz vitamina K em boa quantidade, por sua flora bacteriana.

5 • Reduza o ácido fítico dos alimentos e evite os alimentos ricos em ácido oxálico. Leia o capítulo sobre fatores antinutricionais.

6 • Consuma uma dieta com teor adequado de proteínas (0,8 a 1 g de proteína por quilograma de peso corporal por dia). A dieta vegetariana já costuma oferecer essa quantidade mais adequadamente que a onívora.

7 • Reduza a ingestão de sal.

8 • Mantenha uma dieta alcalinizante. Isso pode ser conseguido simplesmente seguindo a dieta vegetariana.

9 • Utilize alimentos que contêm fitoestrógenos, como os derivados de soja e os cereais integrais.

10 • Mantenha uma prática constante de atividade física. A movimentação corporal aumenta a fixação de cálcio nos ossos.

11 • Evite o consumo de álcool em grande quantidade (mais de 200 ml por semana), pois os estudos relacionam esse hábito ao aumento de fratura de bacia.

12 • Não fume. Mulheres que fumam apresentam perda óssea mais rápida que as não-fumantes e redução dos níveis de estrogênio (hormônio que favorece a retenção do cálcio no osso). Pessoas que fumam têm menor absorção do cálcio.

Uso de suplementos de cálcio

O cálcio de suplementos é absorvido tão bem quanto o cálcio do leite. A dose limite recomendada de ingestão é de 2.500 mg de cálcio. O excesso de ingestão de cálcio (doses diárias maiores do que 2.500 mg por dia) pode causar insuficiência renal, calcificação em diversos órgãos, irritabilidade e dores de cabeça.

A interação do cálcio com o ferro fornecido pela suplementação ou pelo cálcio proveniente do leite deve ser monitorada por meio de exames laboratoriais.

Conclusão

O cálcio é um nutriente de fácil obtenção para os vegetarianos que utilizam leite e laticínios. A adequação para os veganos é perfeitamente possível, mas a maioria dos indivíduos veganos observados em estudos científicos apresentava ingestão mais baixa que a recomendada. Por mais que a dieta vegetariana forneça diversos outros elementos positivos para a saúde óssea, é prudente que os veganos, principalmente, conheçam as melhores fontes vegetais de cálcio para ajustar sua dieta.

vitamina B12

B12 e vegetarianismo

A vitamina B12 é o nutriente ao qual o vegetariano deve prestar mais atenção! Os relatos na literatura médica e nutricional sobre deficiência de vitamina B12 são vastos, e não há mais nenhuma dúvida de que os vegetarianos, em especial os veganos, devem tomar suplementos dessa vitamina. Falarei mais sobre ela.

Características da vitamina B12

A vitamina B12 é uma vitamina que contém um átomo de cobalto em seu interior. Ela é chamada de cobalamina e apresenta cor rósea.

As plantas, além de não necessitarem de B12 para seu funcionamento, também não contêm B12.

O aquecimento do alimento não a destrói.

Para que serve a vitamina B12?

A vitamina B12 é fundamental para a manutenção da estrutura do sistema nervoso e na manutenção e maturação das células do sangue.

Animais produzem B12?

Não. A vitamina B12 é produzida, única e exclusivamente, por bactérias. Os animais herbívoros obtêm a B12 por meio de plantas contaminadas com fezes (muitas vezes pelas próprias fezes), já que as bactérias das fezes produzem B12. A flora bacteriana do trato gastrointestinal dos ruminantes pode produzir B12, e ela pode ser absorvida por esses animais. Os animais carnívoros pequenos obtêm B12 ingerindo insetos e outros animais, e consumindo fezes, muitas vezes, da presa abatida.

De quais alimentos conseguimos a B12?

A maior ingestão de vitamina B12 por seres humanos ocorre a partir da carne animal. No caso dos vegetarianos, a ingestão de B12 é feita pelo consumo de ovos, leite e laticínios.

Nos veganos, a ingestão de B12 por intermédio dos alimentos pode ser considerada nula ou desprezível, pois, caso ela ocorra, será em quantidades mínimas produzidas por bactérias presentes nas plantas.

Alimentos orgânicos têm mais B12 que os cultivados com uso de fertilizantes sintéticos e agrotóxicos?

Teoricamente, sim. A maior riqueza de bactérias no solo orgânico pode, em tese, contribuir para um maior teor de vitamina B12 no alimento. No entanto, mesmo os alimentos orgânicos devem ser considerados como uma fonte irrisória de B12. A vitamina B12 não é interiorizada pela planta, e permanece nas suas estruturas externas. Assim, ao se lavar o alimento, a pequena quantidade de B12 existente é perdida.

Teor de B12 nos alimentos

Encontramos B12 em todos os alimentos de origem animal. Veja a tabela **Teor de vitamina B12. Considere nula ou desprezível a quantidade de B12 em alimentos de origem vegetal!**

TEOR DE VITAMINA B12 NOS ALIMENTOS CONFIÁVEIS COMO FONTES (em 100 g do alimento)	
Queijos	**B12 (mcg)**
Suíço	3,34
Parmesão ralado	2,26
Mozarela	0,73 a 2,31
Brie	1,65
Prato	1,5
Provolone	1,46
Gorgonzola	1,22
Parmesão duro	1,2
Cheddar	0,83
Cream cheese	0,42
Ricota	0,29 a 0,34
De cabra semimacio	0,22
Ovos	**B12 (mcg)**
De pato, inteiro, cru	5,4
De codorna, cru	1,58
De galinha, inteiro, cru	1,29
De galinha, inteiro, mexido	0,77
Leite e iogurte	**B12 (mcg)**
Iogurte natural, leite semidesnatado	0,56
Leite de vaca semidesnatado	0,46
Iogurte natural, leite integral	0,37
Leite de vaca integral	0,36
Leite de cabra	0,07
Peixes	**B12 (mcg)**
Atum fresco cru	9,43
Bacalhau seco cru	0,91
Carne bovina	**B12 (mcg)**
Fígado refogado	70,58
Músculo sem gordura cru	3,16
Filé mignon sem gordura grelhado	2,71
Fraldinha com gordura cozida	1,82
Frango	**B12 (mcg)**
Carne branca, crua, sem gordura	0,4
Carne e pele, crua	0,32
Frios	**B12 (mcg)**
Salame, seco ou duro, bovino, suíno	1,9
Mortadela bovina e suína	1,82
Salsicha bovina e suína	1,3
Presunto fatiado extra magro (5% gordura)	0,75
Presunto fatiado (11% de gordura)	0,42
Salsicha de frango	0,24
Mortadela de peru	0,23
Bacon (sem carne)	0

Fontes não-confiáveis de vitamina B12

Diversos alimentos apresentam compostos muito parecidos com a vitamina B12 e que podem ser dosados como se tratasse verdadeira. No entanto, esses compostos não realizam a mesma função da vitamina B12 verdadeira. Chamamos esses falsos compostos de "análogos da B12". Os **análogos** da B12 podem ser encontrados em:

- **alimentos fermentados:** missô, *tempeh, shoyu*, pães fermentados biologicamente e outros. A levedura de cerveja, assim como os fermentos, também não contêm B12, a menos que sejam enriquecidos industrialmente, prática incomum no Brasil.
- **algas** *(Chlorella, nori, wakame, kombu, hijiki*, espirulina, etc.). As algas, por sua interação com bactérias, podem conter B12. Muitas espécies de algas também utilizam B12 para o seu crescimento. As algas *nori* e *Chlorella* são as apontadas como as de maior teor de B12. No entanto, a vitamina B12 das algas é da forma análoga (ou forma corrinoide), ou seja, claramente não realiza o papel da verdadeira vitamina nos seres humanos. Portanto, não confie em nenhuma alga como fonte de B12.

Atenção!

As únicas fontes **confiáveis** de vitamina B12 para vegetarianos são:

- Ovos
- Queijo e leite
- Suplementos
- Alimentos enriquecidos industrialmente (prática pouco comum no Brasil)

Como a vitamina B12 é absorvida?

A vitamina B12 está ligada aos alimentos e precisa ser liberada deles para que possa ser utilizada. A secreção ácida do estômago é muito importante para liberar a vitamina do alimento.

Após essa liberação, a B12 precisa ser ligada a um certo composto produzido no estômago, o **fator intrínseco.** A ligação da B12 com o fator intrínseco é fundamental para sua absorção. Quando ocorre essa ligação, a vitamina pode ser absorvida no final do intestino delgado (local que chamamos de íleo terminal, 60 a 80 centímetros antes do intestino grosso). Após a absorção, ela é transportada para os tecidos pela transcobalamina, dentre outros transportadores.

O organismo consegue armazenar cerca de 2 a 3 mg de B12 no fígado, principalmente.

Você deve memorizar quatro informações:

- É necessário que haja ácido no estômago para liberar a B12 presente no alimento;
- A B12 precisa se ligar ao fator intrínseco (produzido por células do estômago) para ser absorvida;
- A absorção ocorre no final do intestino delgado (íleo terminal);
- Conseguimos estocar B12 no fígado. Esse estoque pode durar muitos anos.

As bactérias do intestino grosso produzem B12. Podemos absorvê-la?

No intestino grosso humano, realmente há produção de vitamina B12 pela flora intestinal (bactérias). No entanto, o local de absorção da B12 é o final do intestino delgado; portanto, ela é produzida num ponto posterior do local em que poderia ser absorvida! Assim, a B12 que conseguimos produzir não pode ser absorvida em condições normais.

Eu sei que isso pode ser decepcionante, e muitos vegetarianos ficam inconformados com o fato, mas a verdade é que, **na dieta vegana, não é possível conseguir B12 por outra via (higienicamente adequada) que não seja o uso de suplementos.**

A recomendação de suplementação

O Instituto de Medicina dos Estados Unidos (Food and Nutrition Board) recomenda suplementação de vitamina B12 em todos os indivíduos (que comem ou não carne) acima dos 50 anos de idade, pois de dez a 30% deles apresentam dificuldade de extrair a vitamina do alimento, apresentando uma deterioração do estado nutricional da vitamina.

Se necessito tomar suplemento de B12, como posso considerar que a dieta vegetariana é adequada ao ser humano?

Até o presente momento, não foi encontrada nenhuma dieta que não necessite de suplementação em pelo menos alguma fase da vida para torná-la mais segura.

Crianças onívoras recebem vitamina K ao nascerem. É comum aos pediatras suplementarem com ferro, vitamina A e D as dietas das crianças onívoras. Muitos obstetras recomendam o uso de ácido fólico, ferro, multivitamínicos e minerais durante toda a gestação. A farinha de trigo é enriquecida com ferro e ácido fólico, assim como o sal recebe iodo. Essas medidas são adotadas para contornar as deficiências de nutrientes encontradas nas populações.

A menor incidência de diversas doenças constatadas nas populações vegetarianas sugere que essa dieta é bastante adequada para o funcionamento do nosso organismo.

O que acontece se eu não ingerir a vitamina B12?

Como o passar dos anos, conforme a B12 vai se exaurindo do organismo, alguns problemas podem surgir. De forma geral, a pessoa se sente cansada, com falta de apetite e, às vezes, com dores generalizadas. A língua fica lisa e brilhante, pois as papilas se atrofiam. A redução dos níveis de B12 provoca dois problemas principais: alterações sanguíneas (como a anemia) e no sistema nervoso.

• Anemia por deficiência de B12

O conceito de anemia é o mesmo que vimos com a deficiência de ferro, ou seja, anemia é a redução do número de células vermelhas no sangue, por unidade de volume de sangue. No caso da falta de B12, também ocorre anemia, e ela é chamada de anemia megaloblástica (pois a célula pode ficar grande).

• Sintomas neurológicos por deficiência de B12

Cerca de 75 a 90% das pessoas com alterações graves de deficiência da vitamina apresentam sintomas neurológicos. Como a deficiência de B12 leva à degeneração da bainha de mielina, que é a "capa" que envolve os nervos, a condução do estímulo nervoso fica alterada. Com isso, ocorre alteração da sensibilidade nos pés, comprometimento da percepção vibratória e da propriocepção (autopercepção), irritabilidade, comprometimento da memória e agitação.

Os sintomas psiquiátricos mais comuns associados à falta de B12 são: depressão, mania, síndromes psicóticas, transtorno obsessivo-compulsivo e prejuízo da cognição.

Na criança, os sintomas podem ser diferentes dos adultos. Os danos neurológicos por falta de B12 nas crianças são outros: elas param de sorrir, têm dificuldade de sustentar a cabeça, apresentam apatia, redução do tônus muscular e do contato visual, letargia e coma. Pode ocorrer também anemia. O desenvolvimento é prejudicado. Diferentemente dos adultos, as crianças podem apresentar movimentos involuntários e atrofia cerebral.

• Elevação da homocisteína e doenças cardiovasculares

Na falta de B12, ocorre aumento de um composto chamado homocisteína. A redução da vitamina B12 no organismo é a principal razão de aumento da homocisteína em vegetarianos. A elevação da homocisteína é um fator de risco para defeitos de formação do feto, anomalias cardíacas congênitas. Em adultos, se relaciona com maior surgimento de demência (que acomete 8% das pessoas acima de 65 anos), doença de Alzheimer (que corresponde a 50% dos casos de demência), doenças cardiovasculares e osteoporose.

As consequências da deficiência de B12 são irreversíveis?

Depende do tempo que demoram para ser diagnosticadas. Se tratadas a tempo, as consequências da deficiência de B12 são completamente reversíveis. Caso contrário, as sequelas podem ser permanentes.

Quanto preciso ingerir diariamente de vitamina B12?

A recomendação de ingestão diária de B12, de acordo com a faixa etária, está na tabela **Recomendações de ingestão de vitamina B12.**

Nosso organismo necessita diariamente de 1 mcg de B12. Recomenda-se que a ingestão seja de 2,4 mcg para um adulto. Esse valor é preconizado para se assegurar a absorção, com segurança, de 1 mcg da vitamina, já que a absorção da B12 proveniente do alimento é de 50%.

RECOMENDAÇÕES DE INGESTÃO DE VITAMINA B12

Idade	B12 (mcg/dia)
Crianças	
0 a 6 meses	0,4
7 a 12 meses	0,5
1 a 3 anos	0,9
4 a 8 anos	1,2
Homens e Mulheres	
9 a 13 anos	1,8
Maiores de 14 anos	2,4
Gestação	2,6
Amamentação	2,8

Como o organismo economiza a B12?

A B12 que está circulando no organismo é continuamente excretada no intestino (pela bile) e pode ser quase completamente reabsorvida de volta para o sangue. Esse ciclo é bastante eficiente quando a pessoa ingere pouca B12, mas não é 100% eficiente. Assim, nos veganos, quando não há suplementação de B12, ela é poupada ao máximo, mas a perda gradual é inevitável. É possível ao indivíduo viver sem sintomas de deficiência por muitos anos, mas os baixos níveis de B12 são nocivos ao organismo.

Quanto tempo demora para surgir a deficiência de B12 depois de se parar de ingerir a vitamina?

Diferentemente das outras vitaminas do complexo B, a B12 pode ser estocada nos rins, e principalmente no fígado. Esse estoque pode demorar mais de cinco anos para ser exaurido.

No entanto, não devemos confiar nesse tempo todo, principalmente se o indivíduo se tornou vegano após anos de dieta ovolactovegetariana, pois, nesse caso, os estoques já estão menores que os de uma pessoa que comia frequentemente carne antes da mudança alimentar. É comum encontrarmos veganos com deficiência de B12 já nos primeiros anos após a abstenção da B12 do cardápio. Isso ocorre, principalmente, se o indivíduo já tinha uma baixa ingestão de carne nos anos anteriores ou era ovolactovegetariano.

São descritos na literatura médica casos excepcionais de vegetarianos que não apresentavam deficiência clínica de B12 depois de dez a 30 anos de abstinência, mas os níveis sanguíneos estavam reduzidos e causavam prejuízos à saúde. Essas pessoas viviam com B12 suficiente apenas para as funções mínimas. Isso é nocivo!

Qual é a diferença entre anemia megaloblástica e perniciosa?

Em muitos indivíduos, deficiência de vitamina B12 pode ocorrer em decorrência da destruição do fator intrínseco pelo próprio organismo, e não por causa de ingestão inadequada. Essa destruição é uma doença autoimune, ou seja, o próprio corpo o destrói.

Como vimos, na deficiência de B12, as células vermelhas do sangue podem ficar grandes, o que caracteriza a anemia (megaloblástica). Mas, quando a deficiência de B12 é causada pela destruição desse fator, e não pela ingestão inadequada, ela é chamada de anemia perniciosa (apesar de, na perniciosa, as células também ficarem grandes).

A deficiência de B12 em vegetarianos

Os estudos são unânimes em apontar que os vegetarianos apresentam ingestão mais baixa de B12 que os outros grupos. Enquanto de dez a 30% da população idosa onívora apresenta deficiência de B12, os idosos vegetarianos sofrem do problema em até 75% dos casos. Os níveis de B12 são mais baixos, assim como os de homocisteína são mais altos em vegetarianos. De forma geral, 50% dos veganos apresentam baixos níveis de B12.

Por que pode haver falta de B12 no organismo?

Diversas situações podem contribuir para que ocorra a falta de vitamina B12 no organismo:

- Por falta de ingestão. Esse é o motivo mais comum em vegetarianos, especialmente em veganos.
- Diversos outros motivos, como: alcoolismo, verminoses, doenças autoimunes (como na anemia perniciosa), alterações genéticas (ocorre má-absorção da vitamina), perda da acidez gástrica pelo envelhecimento, cirurgias que ocasionaram a retirada do estômago ou de partes do intestino, algumas medicações (inclusive antiácidos), algumas doenças do pâncreas e do intestino, uso de óxido nitroso (composto utilizado como anestésico inalatório).

Como diagnosticar a deficiência de B12

Os sintomas mencionados anteriormente podem ser sugestivos da deficiência de B12, mas algumas vezes as manifestações se confundem com outros problemas de saúde. Lembre-se de que a falta de ingestão de B12 é a causa mais comum de deficiência em vegetarianos, mas isso não quer dizer que não haja outras causas.

O diagnóstico da deficiência deve ser feito por exames laboratoriais. É importante sempre a avaliação médica, pois, para o correto diagnóstico da causa da deficiência vitamínica, pode ser necessária a complementação com outros exames, como a investigação da glândula tireoide, da função dos rins, de verminoses, doenças autoimunes e outras. A interpretação do conjunto dos exames descritos pode ser muito mais complexa do que um leigo pode imaginar. Dessa forma, é fundamental que um médico com experiência no assunto possa interpretar os dados encontrados.

Os exames mais apropriados e eficazes para diagnosticar a deficiência são de sangue, e são quatro: vitamina B12 sérica, homocisteína, ácido metilmalônico e holotranscobalamina.

Vitamina B12 sérica: você deve manter os seus níveis de B12 no sangue sempre acima de 350 pg/ml e preferencialmente acima de 490 pg/ml.

Homocisteína: o aumento de homocisteína no sangue pode ser o resultado da falta de B12, mas também de ácido fólico e vitamina B6. Em vegetarianos, é muito incomum haver falta de ácido fólico. O ideal é mantê-la abaixo de 10 e preferencialmente abaixo de 8 mcmol/L.

Ácido metilmalônico: é um exame mais apropriado para avaliar a falta de B12. Ele aumenta na condição de deficiência da vitamina. Esse exame é mais caro que os demais.

Holotranscobalamina II: é um transportador sanguíneo da B12, que se reduz na sua deficiência. A sua dosagem esbarra em dificuldades de realização.

***Atenção:** o hemograma sozinho não é aconselhável para o diagnóstico de deficiência de vitamina B12, pois as alterações podem surgir muito tardiamente. A sua interpretação, sem a dosagem da B12 no sangue, exige experiência do médico e pode abrir espaço para dúvidas.*

Tratamento da deficiência de B12

Havendo deficiência diagnosticada de B12, o tratamento deve ser feito com ciano ou hidroxicobalamina por via intramuscular. É a forma mais rápida e segura de corrigir a deficiência. A dose e a frequência de administração devem ser orientada por um médico. Essa recomendação é a que encontramos nos consensos médicos. **No entanto, em minha experiência clínica, observo que o uso de doses elevadas por via oral e por tempo prolongado, promove os mesmos resultados da injetável, além de manter os níveis adequados por mais tempo. Tenho reservado a via injetável para raros casos específicos.**

Como usar suplementos de B12 para manter os níveis da vitamina?

Após a devida correção da deficiência, ou caso não haja deficiência e se deseje manter os níveis sanguíneos adequados, a suplementação pode ser feita tanto por suplementos injetáveis ou orais como por alimentos (fortificados ou derivados de animais).

• Por meio de suplementos

A forma injetável de suplementação pode ser anual (ou a cada seis meses), geralmente na dose de 5.000 mcg. Alguns autores descrevem que o uso de B12 intramuscular em vegetarianos que não têm problema com o fator intrínseco pode ser suficiente para manter níveis adequados de B12 por um a dois anos. Recomendo, pelo menos, uma dose semestral. Essa forma de uso pode ser feita para vegetarianos que já têm níveis de B12 estáveis há bastante tempo.

Quando se optar pela via oral, se for usado um único comprimido por semana, ele deve conter pelo menos 2.000 mcg de B12. Já o comprimido diário deve conter pelo menos 5 mcg de B12. A maioria dos existentes no mercado contêm pelo menos 10 mcg. Não há problema algum.

Atenção!

Se você optar por utilizar B12 feita em farmácias de manipulação, certifique-se de que a matéria-prima utilizada é idônea.

Caso você opte por mandar manipular a B12, recomendo que faça isso apenas se puder dosar os níveis sanguíneos da vitamina para avaliar a sua eficiência do produto.

• Pelos alimentos

Se optar por usar alimentos fortificados com vitamina B12, você deve se certificar que ingere pelo menos a quantidade necessária descrita na tabela **Recomendações de ingestão de vitamina B12**. O problema dos alimentos fortificados é sua escassez no Brasil.

Você também pode optar por usar derivados de animais, como ovos, leite e laticínios. Nesse caso, deve se certificar que ingere a quantidade suficiente descrita na tabela **Recomendações de ingestão de vitamina B12.** Verifique o teor de B12 dos alimentos na tabela **Teor de vitamina B12**.

Quando tomar suplemento de B12?

Homens veganos adultos devem utilizar suplementação regularmente. Os relutantes em tomar suplemento de B12, podem ser acompanhados por exames laboratoriais e utilizar suplementos quando os níveis de B12 começarem a se aproximar de 500 pg/ml.

Mulheres veganas devem utilizar suplementação regularmente. Para mulheres em idade fértil, é recomendado manter rigidamente a suplementação, pois, se houver gestação (planejada ou não), o feto estará protegido da deficiência.

Indivíduos ovolactovegetarianos devem estar atentos para verificar se a ingestão diária alcança as necessidades de B12. O uso irregular de derivados animais não garante a ingestão adequada da vitamina. A suplementação deve ser instituída nessas condições.

Minha sugestão para a manutenção dos níveis de B12:

Utilize uma dose semanal de B12 com pelo menos 2.000 mcg, mas apenas quando os níveis no sangue estiverem acima de 490 pg/ml. Se estiver abaixo disso, eleve os seus níveis primeiro! Converse com o seu médico ou nutricionista.

Os suplementos são veganos?

As fórmulas injetáveis costumam ser veganas (a matéria-prima não é de origem animal). Com relação aos comprimidos, você pode encontrar fórmulas veganas, ovolactovegetarianas e não-vegetarianas. Verifique a composição do comprimido.

Superdosagem de B12

Não existem relatos científicos de intoxicação por excesso de B12. Algumas pessoas podem ter acne e espinhas com doses elevadas, mas que regridem naturalmente.

Acompanhamento com médico ou nutricionista

O profissional que acompanha o indivíduo em uso de B12 deve estar bastante familiarizado com a interpretação dos exames laboratoriais referentes a essa vitamina. Uma dosagem sanguínea anual, juntamente com a avaliação clínica a que qualquer indivíduo (onívoro ou vegetariano) deve ser submetido, é bastante prudente.

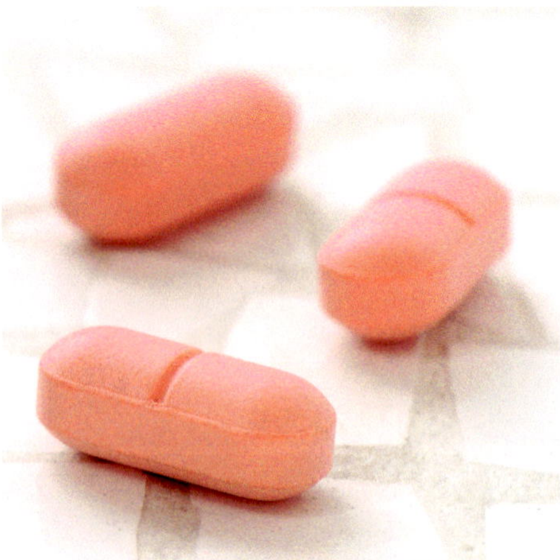

Cuidados especiais: gestação, amamentação e infância.

Na gestação, a B12 que chega ao feto é, obviamente, proveniente do organismo materno. A falta de B12 na mãe acarreta menores níveis de B12 no feto. As consequências podem ser muito graves.

Apesar de a recomendação diária de ingestão de vitamina B12 para gestantes ser de 2,6 mcg (veja a tabela **Recomendações de B12**), já existem trabalhos sugerindo que a dose deve ser elevada para 3 mcg/dia.

Na gestação, ocorre maior absorção da B12 ingerida. Um fato interessante é que a B12 dos estoques da mãe, aparentemente, não passam para o feto. Isso sugere que os níveis sanguíneos de B12 da gestante devem estar adequados para assegurar o melhor fornecimento ao feto.

> ***Atenção!***
> ***Gestantes, mulheres que amamentam e crianças vegetarianas,*** *mesmo as que ingerem ovos e derivados de leite, devem fazer suplementação B12 por meio de comprimidos ou via injetável.*

Na amamentação, a concentração de B12 do leite depende da B12 existente no organismo materno. Não havendo níveis adequados de B12 no organismo da mãe, o bebê recebe menos B12 do que deveria. Como consequência, a falta de B12 nos bebês os deixa apáticos, irritados, com anemia, pele hiperpigmentada, com reflexos e movimentos involuntários, dificuldade de alimentação, desenvolvimento neuropsicomotor retardado e sonolência. A criança pode entrar em coma. A falta de B12 no cérebro pode acarretar incapacidade de desenvolvimento que pode ser definitiva. A falta de B12, quando diagnosticada rapidamente, pode ser revertida sem deixar sequelas. No entanto, se o diagnóstico ou o tratamento forem feitos tardiamente, as sequelas podem ser irreversíveis.

A mãe com deficiência de B12 pode não ter sintomas e não apresentar os exames laboratoriais gerais (como o hemograma) alterados. É necessária a realização de exames específicos.

Em crianças ovolactovegetarianas, os níveis de B12 são normais quando a ingestão diária da vitamina é suficiente. Os pais têm o direito de instituir uma dieta ovolactovegetariana ou vegana aos seus filhos. No entanto é fundamental que ela seja bem elaborada, e os pais têm a responsabilidade e o dever de aprender sobre a adequação da dieta. **Do meu ponto de vista, constitui negligência e maus tratos criar uma criança vegana sem a suplementação de B12.**

Dúvidas frequentes

• Meus níveis de B12 estão baixos e eu não tenho nenhum sintoma de deficiência dessa vitamina. Devo suplementar mesmo assim?

Sim, deve! Muitas pessoas estão sem sintomas quando descobrem a deficiência da vitamina. Lembre-se que diversos problemas podem ocorrer quando a pessoa está assintomática, e mesmo assim têm graves repercussões: colesterol e triglicérides elevados, ácido úrico elevado, aneurisma de aorta, insuficiência renal em fase inicial... O indivíduo pode estar assintomático, mas os níveis de homocisteína continuam se elevando, e os seus efeitos não são nada positivos. Tome suplemento de B12!

• Ao utilizar B12, que modificação devo sentir no meu organismo?

Não pense que você vai virar um triatleta ou se sentir eufórico ao utilizar a B12. Os efeitos para o organismo são bastante visíveis quando a pessoa tem deficiência diagnosticada com sintomas. Caso contrário, ou seja, se você não está com sintomas de deficiência de B12, apenas com níveis baixos, talvez não sinta nada ao tomar o suplemento.

Conclusão

A deficiência de B12 ocorre, de forma geral, em 50% dos vegetarianos. A suplementação de B12 é obrigatória para gestantes vegetarianas (de qualquer tipo), mulheres que amamentam e crianças.

Os adultos veganos podem optar por realizar a suplementação de acordo com os valores encontrados em exames laboratoriais, mas é mais prudente manter um esquema de suplementação regular, que pode ser por meio de injeção (semestral ou anual), comprimidos (semanal ou diário, dependendo da dose) ou ingerir alimentos fortificados com B12 (menos comuns no Brasil). Vegetarianos que fazem uso de ovos e laticínios devem planejar a dieta para assegurar a ingestão suficiente de B12, de acordo com as recomendações.

Não coloque sua saúde em risco. Não descuide da vitamina B12.

ômega-3: a gordura importante

Lipídios

Para falar sobre o ômega-3 (escreverei "n-3") é preciso, inicialmente, ter uma breve noção sobre os lipídios.

Os lipídios sólidos em temperatura ambiente recebem o nome de gorduras. Os líquidos recebem o nome de óleos.

A maioria das gorduras é de origem animal (uma exceção: gordura de coco), mas industrialmente, por um processo chamado hidrogenação, os óleos vegetais podem se tornar sólidos à temperatura ambiente: a gordura hidrogenada. No processo de hidrogenação, surge o que chamamos de gordura trans, que apresenta efeitos muito deletérios ao organismo.

Dependendo da estrutura química da gordura, ela poderá ser chamada de saturada ou insaturada.

A gordura animal, assim como a gordura vegetal hidrogenada, tem altos teores de lipídios **saturados.** Seu consumo está relacionado ao surgimento de diversos problemas de saúde, como as doenças cardiovasculares.

Os lipídios **insaturados** são divididos em dois grupos: os monoinsaturados e os poli-insaturados. Os monoinsaturados trazem diversos efeitos benéficos ao serem consumidos. O óleo de oliva, assim como o abacate, são exemplos clássicos de alimentos ricos nesse tipo de óleo.

Um fato que destaca o óleo poli-insaturado dos outros é que há dois tipos que não conseguimos produzir: o ômega-3 (n-3) e o ômega-6 (n-6). Por isso, chamamos esses dois óleos de **essenciais**. Se você não os ingerir, apresentará deficiência depois de determinado período de tempo.

Os diferentes tipos de alimentos apresentam proporções bastante variáveis dos tipos de lipídios que oferecem. Veja a tabela **Tipos de lipídios.**

Atenção: o colesterol existe apenas no reino animal. Nenhum vegetal contém colesterol!

Nosso organismo absorve cerca de 95% dos lipídios ingeridos.

TIPOS DE LIPÍDIOS	**(Teor em 100 gramas do alimento)**		
	Saturado gramas	**Monoinsaturado** gramas	**Poli-insaturado** gramas
Óleos			
Canola	7,75	61,15	26,39
Coco	86,50	5,80	1,80
Gergelim	14,20	39,70	41,70
Girassol	9,74	83,59	3,79
Linhaça	9,40	20,20	66,00
Milho	12,94	27,57	54,67
Oliva	13,80	72,96	10,52
Soja	14,40	23,29	57,90
Gorduras			
Manteiga	51,36	21,02	3,04
Margarina de milho	14,00	38,79	24,10
Banha	39,20	45,09	11,20
Gordura vegetal hidrogenada	25,00	44,50	26,10

Lipídios na dieta vegetariana

Diferentemente do que muitos pensam, a dieta vegetariana não é pobre em lipídios. A ingestão recomendada numa dieta saudável deve permanecer entre 25 a 35% do valor calórico total. De forma geral, os diferentes tipos de dietas contêm o seguinte percentual de lipídios:

- **Onívoras** – 34 a 36%;
- **Ovolactovegetarianas** – 30 a 34%;
- **Veganas** – 28 a 32%.

Há uma nítida diferença em relação aos tipos de lipídios ingeridos:

- **Gorduras saturadas** – comparados aos onívoros, os ovolactovegetarianos consomem 1/3 menos, e os veganos, a metade.
- **Colesterol** – comparados com os onívoros, os ovolactovegetarianos consomem a metade e os veganos não ingerem nenhum colesterol.
- **Gorduras trans** – as quantidades ingeridas dependem do uso de produtos industrializados, mas, de forma geral, os vegetarianos consomem menos que os onívoros, especialmente os veganos que dão ênfase ao uso de alimentos integrais. Provavelmente, isso reflete a escolha de alimentos mais naturais e saudáveis.

Uma grande diferença está no fato de que, no lugar da gordura saturada ingerida, os vegetarianos costumam consumir mais lipídios poli-insaturados. Isso acarreta algumas mudanças no metabolismo, sobre as quais falarei neste capítulo.

Ômega-3, ômega-6 e metabolismo

O ômega-3 (n-3) ingerido precisa ser transformado em outros dois compostos para desempenhar suas funções: o ácido eicosapentaenoico (EPA) e docosahexaenoico (DHA). Memorize isso, pois falarei sobre esses compostos até o final do capítulo: **o n-3 deve ser transformado em EPA e DHA, que são as formas ativas do n-3.**

Os peixes e alimentos provenientes do mar possuem os maiores teores de EPA e DHA. A carne vermelha magra e os órgãos (fígado e cérebro), assim como os ovos, possuem n-3 também, mas em menor quantidade que os peixes. O leite e os laticínios contêm teores muito baixos de n-3.

Os indivíduos que consomem peixe e alimentos marinhos ingerem diretamente o EPA e o DHA. Ao contrário, os vegetarianos, consomem mais n-3 e pouco ou nenhum EPA e DHA. De forma geral, a ingestão de EPA e DHA em onívoros é muito maior que em ovolactovegetarianos. A ingestão desses compostos é praticamente desprezível em veganos.

Já **o n-6 é transformado em ácido araquidônico, que é a sua forma mais ativa**. Memorize isso também!

A ingestão de w-6 por vegetarianos é sempre mais alta que a de onívoros.

As conversões do n-3 e do n-6

Em seres humanos, o n-3 não se transforma em n-6 e vice-versa. A conversão de n-6 para n-3 pode ser realizada pelas plantas.

A transformação do n-6 em ácido araquidônico (AA) é bastante eficiente no nosso organismo.

Porém, a conversão do n-3 em EPA e DHA não é nada eficiente. Em indivíduos do sexo masculino saudáveis, apenas 5 a 10% do n-3 é convertido em EPA e apenas 2 a 5% em DHA. Portanto, a conversão é baixa e, aparentemente, menos eficiente em homens que em mulheres.

Quais são as funções desses lipídios?

O n-6 é necessário para a construção da membrana das células, para as funções adequadas da pele e para que muitas reações entre as células possam ser quimicamente sinalizadas. Mas a ingestão muito elevada de n-6 está associada ao maior risco de diversas doenças, como as cardiovasculares, câncer, diabetes, osteoporose e desordens imunológicas e inflamatórias.

Os estudos não demonstram maior prevalência dessas doenças decorrentes da maior ingestão de n-6 em vegetarianos, muito pelo contrário! A única alteração detectada é uma coagulação mais rápida, que pode ser explicada pela maior agregação das plaquetas decorrentes do maior teor de n-6 no organismo. Isso é revertido com o maior uso de n-3.

De forma geral, uma boa ingestão de n-3 está associada a efeitos positivos no combate a doenças cardiovasculares, depressão, envelhecimento, câncer, arritmias cardíacas, hipertrigliceridemia (triglicérides elevados), artrite, asma, doenças inflamatórias intestinais (Crohn e colite ulcerativa), lúpus eritematoso, psoríase, esclerose múltipla, dor de cabeça (migrânea) e doenças autoimunes.

Qual é a recomendação de ingestão de n-3 e n-6?

As recomendações de ingestão podem ser vistas na tabela **Recomendações diárias de lipídios**.

Você se lembra que falei sobre o fato de que a transformação do n-3 em EPA e DHA não é muito fácil? Por causa disso, alguns autores recomendam que, para atingir uma boa concentração de EPA e DHA, os vegetarianos deveriam ingerir pelo menos o dobro de n-3 que os indivíduos que utilizam fontes de EPA e DHA (peixe principalmente). Isso significa utilizar pelo menos 3,2 g e 2,2 g por dia de n-3 para homens e mulheres, respectivamente. Mostrarei como conseguir isso adiante.

RECOMENDAÇÕES DIÁRIAS DE LIPÍDIOS

Nutriente	Onívoros		Vegetarianos	
	Homens	Mulheres	Homens	Mulheres
Gorduras	25 a 35%	25 a 35%	25 a 35%	25 a 35%
Ômega-6	17,0 g	12,0 g	17,0 g	12,0 g
Ômega-3	1,6 g	1,1 g	3,2 g	2,2 g
Saturadas, colesterol	O menos possível	O menos possível	O menos possível	O menos possível

As porcentagens se referem ao valor calórico total da dieta

Quanto os vegetarianos ingerem de n-3 e n-6?

Os vegetarianos costumam ingerir a mesma quantidade (ou até mais) de n-3 e mais n-6 que os onívoros.

Consequentemente, os níveis sanguíneos de n-3 são muito similares entre os vegetarianos e onívoros, mas os de n-6 são mais altos nos vegetarianos.

Por causa da maior dificuldade de conversão do n-3 em EPA e DHA, os vegetarianos apresentam menores níveis sanguíneos desses compostos. Não vamos esquecer que os onívoros podem ingerir diretamente o EPA e o DHA.

A proporção de n-6 para n-3

Tão importante quanto atingir as quantidades estipuladas desses dois compostos é manter um balanço adequado entre eles. A transformação de n-3 em EPA e DHA fica prejudicada se ingerimos muito n-6.

Devemos manter um balanço proporcional de duas a quatro partes de n-6 para cada uma de n-3, ou seja, a proporção final na alimentação como um todo entre n-6:n-3 deve ser de dois a quatro para um (2 a 4 : 1).

A proporção ingerida (n-6:n-3) pelos diversos grupos costuma ser:

- veganos: 14 a 20 para 1.
- ovolactovegetarianos: 10 a 16 para 1.
- onívoros: 10 para 1.

O que importa na alimentação é o conjunto dela

Apesar de os vegetarianos apresentarem um pior estado nutricional de EPA e DHA, que é um fator protetor contra doenças cardiovasculares, por exemplo, a mortalidade por esse tipo de doença é cerca de 25 a 30% menor nessa população. Isso demonstra que a saúde depende de vários aspectos. De qualquer forma, você que é vegetariano pode melhorar ainda mais seus parâmetros dietéticos intensificando a ingestão de n-3.

Tanto o uso de EPA e DHA de fonte animal quanto o de n-3 de fonte vegetal se mostram eficientes para modificar as taxas sanguíneas desses dois lipídios.

RELAÇÃO N-6:N-3

100 gramas do alimento	ômega-6 gramas	ômega-3 gramas	Proporção n-6 para n-3
Óleos			
Linhaça	12,7	53,3	1 para 4
Canola	18,76	6,3	3 para 1
Soja	51	6,8	7,5 para 1
Oliva	9,76	0,71	13,7 para 1
Girassol	3,6	0,12	30 para 1
Milho	53,5	1,16	46 para 1
Gergelim	41,3	0,3	137 para 1
Coco	1,8	0	–

Como ajustar o n-3 na dieta vegetariana

Vimos que devemos atingir 3 g de n-3 pela alimentação e cuidar para manter um bom balanço entre o n-6 e o n-3. Siga as instruções:

1• A forma mais fácil de atingir a quantidade preconizada de n-3 diária é pelo consumo de linhaça ou de seu óleo. Observe na tabela **Relação n-6:n-3** que o óleo de linhaça é a fonte vegetal mais rica em n-3 que existe. Ele contém 53,3 g de n-3 em 100 g de óleo. Assim, garanta a quantidade de n-3 necessária (atinja 3 g por dia), consumindo diariamente óleo de linhaça e semente de linhaça. Uma colher de chá (5 g de óleo) de óleo de linhaça contém 2,7 g de n-3. Uma colher de sopa (8 g de óleo) contém cerca de 5,6 g de n-3. Uma colher de sopa da semente de linhaça contém cerca de 2 g de n-3.

Alguns grupos de indivíduos precisam prestar maior atenção ao n-3. As gestantes e mulheres que amamentam têm necessidades maiores de EPA e DHA. Os idosos têm menor capacidade de transformação do n-3. Esses indivíduos devem utilizar até duas colheres de chá de óleo de linhaça por dia.

2• Além da linhaça, na escolha dos outros óleos para consumo, dê preferência aos de **soja** e **canola**, pois eles contêm um melhor balanço entre n-6 e n-3.

3• Evite o consumo de óleo de gergelim e milho (a relação n-6:n-3 não é boa, além de possuírem pouco n-3).

4• Consuma mais óleo de oliva extra-virgem prensado a frio, reduzindo o consumo dos outros óleos. Isso faz com que você consuma menos n-6. Apesar de ter uma relação n-6:n-3 pior que a do óleo de soja e canola, o óleo de oliva contém pouco n-6 e pouco n-3, pois o tipo de óleo predominante no azeite é o ômega-9, um composto que não interfere no metabolismo de n-6 e n-3.

5• Evite a ingestão de gorduras trans (gordura vegetal hidrogenada) e álcool, pois eles reduzem a transformação do n-3 em EPA e DHA.

6• Evite alimentos processados, pois muitos são fontes de gorduras trans e têm elevado teor de n-6, como alimentos prontos, *snacks* e frituras.

7• Consuma mais sementes e oleaginosas. Elas contêm n-3.

8• Não aqueça os óleos que forem utilizados para o consumo. Utilize-os sobre o alimento já pronto para ser servido.

9• Para ovolactovegetarianos, os ovos podem fornecer uma quantidade razoável de DHA, mas muito pouco de EPA. Ovos provenientes de galinhas alimentadas com linhaça ou microalgas podem conter o dobro ou o triplo do DHA, respectivamente, contido no ovo comum.

10• Você também pode consumir mais algas, que são boas fontes de DHA.

Conclusão

Apesar de a dieta vegetariana oferecer uma boa quantidade de n-3, pelo fato de ela conter muito n-6, a formação de EPA e DHA, que são as formas ativas do n-3, fica reduzida. Para otimizar os bons níveis sanguíneos de EPA e DHA, os vegetarianos devem utilizar mais n-3 do que é recomendado para os onívoros, sendo adequadas cerca de 3 g por dia. Adote as dicas do tópico **Como ajustar o n-3 na dieta vegetariana.**

vitamina D: o sol na dieta

Vitamina D na saúde

A vitamina D, também chamada de calciferol, apresenta uma função bem particular: manter os níveis de cálcio e fósforo adequados no organismo para que as reações nas células possam se manter viáveis.

O ressurgimento do raquitismo (problema decorrente da falta de vitamina D), assim como a deficiência dessa vitamina em adultos do mundo inteiro tem sido bastante observada ao longo dos últimos anos. Estamos falando da população onívora!

A vitamina D é lipossolúvel, ou seja, se mistura com gorduras, e por isso pode ser armazenada no nosso organismo.

Como conseguimos a vitamina D

Há duas formas de conseguir essa vitamina: a produção pelo organismo e a ingestão a partir dos alimentos. A vitamina D pode ser produzida pelo nosso corpo pelo contato da pele com os raios solares. Podemos também obtê-la ingerindo alguns produtos derivados de animais, como o óleo de fígado de peixe, peixes gordos e alimentos fortificados (como leite e cereais matinais, mais comum nos Estados Unidos).

Nos países mais ao norte e ao sul do planeta, onde a redução da intensidade de sol recebida é mais acentuada, a deficiência de vitamina D é maior. Isso também ocorre nos países que apresentam inverno mais rigoroso e prolongado. Assim, a formação da vitamina D pelo contato do sol com a pele humana é afetada pelo horário do dia, estação do ano e pela latitude.

Teoricamente, quem se expõe aos raios solares de forma adequada não necessita ingerir vitamina D.

O metabolismo da vitamina D

A vitamina D obtida pelo contato dos raios solares com a pele ou pela alimentação é inativa, ou seja, não funciona. Por causa disso, nós a chamamos de pró-vitamina D.

Para que ela possa ser ativada, é necessário que o fígado, e, posteriormente, o rim, atuem para completar uma transformação e deixá-la pronta para agir. Portanto, é fundamental que a pessoa tenha esses dois órgãos em bom funcionamento para manter bons níveis de vitamina D no organismo. Os obesos apresentam maior risco de deficiência de vitamina D, pois a transformação da pró-vitamina na sua forma ativa é prejudicada pelo tecido adiposo.

A partir do momento que essa vitamina se torna ativa, ela consegue cumprir a sua função. **No intestino, a vitamina D intensifica a absorção do cálcio ingerido. No rim, evita que o cálcio seja perdido pela urina.** A vitamina D auxilia na manutenção do cálcio no organismo, agindo em conjunto com outros hormônios, como o PTH (paratormônio) e a calcitonina, produzidos nas glândulas paratireoide e tireoide.

O que ocorre na carência de vitamina D?

Quando há falta de vitamina D, o cálcio é retirado do osso, ocorrendo perda de massa óssea. Nessa condição, o cálcio ingerido é menos absorvido.

A falta de vitamina D também provoca retardo na formação e crescimento das cartilagens dos ossos. Nas crianças, surge o raquitismo. O equivalente adulto se chama osteomalácia.

Os adultos com deficiência de vitamina D são mais propensos à osteoporose.

Quais são os sinais e sintomas do raquitismo?

As crianças com raquitismo apresentam deformidades nos locais em que os ossos suportam mais peso do corpo. Assim, as pernas ficam arqueadas. Elas podem ter retardo de crescimento, inchaço nos punhos, joelhos e tornozelos. As costelas podem sofrer algumas alterações (que são chamadas de rosário raquítico). O surgimento dos dentes pode ser tardio ou interrompido, e os dentes podem apresentar deformidades. Os músculos se tornam fracos, e as crianças, irritadas.

Necessidade de vitamina D

A quantidade de vitamina D que devemos ingerir por dia pode ser vista na tabela **Recomendação de ingestão diária de vitamina D.** Esses valores são recomendados para indivíduos que não se expõem adequadamente à luz solar. Cada 1 mcg de calciferol equivale a 40 UI da vitamina.

RECOMENDAÇÃO DE INGESTÃO DIÁRIA DE VITAMINA D

Homens e mulheres	Quantidade
Dos 9 aos 49 anos	5 mcg/dia
50 a 70 anos	10 mcg/dia
Acima de 70 anos	15 mcg/dia

Estudos recentes, no entanto, sugerem que as doses de ingestão preconizadas até o momento são baixas, e deveriam ser aumentadas para 500 UI (12,5 mcg). Esses valores seriam considerados eficientes para a prevenção de doenças, assim como para manter os níveis de vitamina D adequados no inverno, quando a exposição solar é menor.

Vale a pena dizer que a vitamina D pode ser armazenada na gordura para uso posterior. Isso é importante pois, no inverno, quando a exposição solar é menor, essa vitamina acumulada pode ser utilizada.

Atualmente, já está bem estabelecido que a quantidade de vitamina D presente no sangue nem sempre é suficiente para manter a boa saúde e prevenir doenças, apesar de evitar o raquitismo e a osteomalácia. Quantidades circulantes de vitamina D apresentam efeitos diferentes.

Níveis sanguíneos de vitamina D

Podemos ter três níveis de vitamina D no sangue:

Baixo (abaixo de 40 nmol/l): considerado um nível em que há deficiência da vitamina. Ocorre raquitismo e osteomalácia.

Insuficiente (entre 40 e 80 nmol/l): nesses níveis, não há raquitismo e nem osteomalácia, mas ocorre maior possibilidade de haver desenvolvimento de alguns problemas, como osteoporose, dor e fadiga muscular, hipertensão arterial e doenças cardiovasculares, câncer de mama, cólon e próstata, diabetes, esclerose múltipla, artrite reumatoide e lúpus.

Adequado (acima de 80 nmol/l): considerado como nível ótimo para a prevenção de doenças relacionadas à carência de vitamina D.

Quem está em maior risco de ter deficiência de vitamina D?

Pessoas com **exposição diminuída ao sol** ou que **ingerem pouca vitamina D** correm maior risco de ter a deficiência.

A deficiência por pouca interação com o sol ocorre com pessoas que passam o dia todo em locais em que não recebem insolação diretamente na pele, em países em que o inverno é rigoroso, prolongado e escuro, ou em locais em que há muita poluição atmosférica. Indivíduos de pele escura (negros) e idosos (a pele apresenta menor capacidade de produção de vitamina D) também têm risco aumentado. Pessoas que fazem uso regular de filtros solares (especialmente fator 15 ou mais) em situações da vida cotidiana (não estamos falando aqui da pessoa que fica o dia todo na praia) e que usam roupas que cobrem o corpo todo (como no inverno ou por alguns grupos religiosos) também estão em risco.

A ingestão ou a absorção diminuídas de vitamina D também colocam as pessoas em risco de deficiência. No envelhecimento normal, ocorre redução da absorção da vitamina, por exemplo. Dietas ricas em ácido fítico dificultam a reabsorção da vitamina D que o organismo lança no intestino. Por fim, dietas sem óleo de peixe ou alimentos fortificados são pobres em vitamina D.

Recomendação de exposição à luz solar

Não podemos considerar que a exposição casual à luz solar seja suficiente para suprir as necessidades de vitamina D. Isso é muito comum para a maioria das pessoas que vivem em cidades, que se expõem ao sol apenas de vez em quando. A produção de vitamina D pode ser ainda mais reduzida pelo uso de filtros solares no dia a dia.

Alguns autores recomendam que, de modo geral, as pessoas tomem sol por 5 a 30 minutos diariamente, expondo as mãos, antebraços e face, no início da manhã ou no final da tarde. A exposição por três vezes na semana, com esse tempo e frequência mínima, seria capaz de manter as concentrações sanguíneas adequadas de vitamina D. Nos horários fora desse período de exposição, deve-se utilizar o filtro solar, como medida preventiva aos danos causados pela exposição ao sol (rugas e câncer de pele).

Filtros solares e vitamina D

A exposição solar excessiva está associada ao surgimento de rugas e câncer de pele. No entanto, essa mesma radiação solar é a responsável pela produção da pré-vitamina D. A aplicação de filtro solar com fator 8 pode reduzir em 95% a produção de vitamina D pela pele. Os idosos podem ser o grupo mais afetado por essa prática, já que, naturalmente, produzem menos vitamina D. Dessa forma, é preconizado que as pessoas que utilizam filtros solares diariamente se exponham inicialmente ao sol, no início da manhã ou no final da tarde, por pouco tempo (5 minutos apenas) antes de utilizarem filtros solares, e que fujam do "sol do meio-dia". Pouco sol no horário adequado é suficiente para a produção de vitamina D.

Suplementação de vitamina D

Para indivíduos que não se expõem adequadamente ao sol ou não ingerem alimentos com vitamina D suficiente, pode ser utilizado um suplemento com dose diária de 400 ou 500 UI de vitamina D.

A vitamina D2 (ergocalciferol) é menos eficiente do que a D3 (colecalciferol) para a manutenção dos níveis adequados de vitamina D.

Estudos demonstram que, em idosos, para a prevenção de fratura de quadril e de outros ossos (exceto coluna vertebral), a dose de vitamina D suficiente seria de 700 a 800 UI por dia. Para esses indivíduos, 400 UI não são suficientes. O uso de vitamina D em pacientes idosos reduz o risco de fraturas e quedas em mais de 20%.

Outros benefícios da exposição solar

Apesar de o sol estar envolvido no surgimento de vários tipos de câncer de pele, como o melanoma (o câncer de pele mais fatal), e do surgimento de rugas, outros estudos demonstram que a exposição aos raios ultravioletas do sol têm efeito protetor contra o câncer de próstata e doenças com componente autoimune (quando o próprio organismo destrói algumas células ou tecidos específicos do organismo), como o diabetes tipo 1.

O excesso de vitamina D é nocivo?

Como a vitamina D é lipossolúvel (solúvel em gordura), pode ser acumulada no organismo. Isso pode ser nocivo, caso o consumo seja excessivo. O limite máximo de ingestão diária recomendada atualmente de vitamina D é de 50 mcg (2.000 UI).

Conclusão

A deficiência de vitamina D é um problema atual no mundo inteiro. A falta de exposição solar é o principal motivo para que isso ocorra. Caso você não se exponha adequadamente (com o tempo e frequência necessários), a suplementação deve ser instituída.

proteínas

Proteínas: a riqueza da dieta

O tema proteínas é um assunto de pouca relevância na dieta vegetariana, mas, por causa de conceitos antigos e mal compreendidos, ainda observamos que as pessoas têm dúvidas sobre isso.

A proteína é composta por aminoácidos. Assim, um número razoável de aminoácidos, unidos, será chamado de proteína. Vamos falar sobre as proteínas.

Para que servem as proteínas

As proteínas são necessárias para a construção e manutenção dos inúmeros tecidos corporais (pele, músculos, ossos e muitos outros), enzimas e hormônios do nosso organismo.

O que ocorre quando não ingerimos proteínas?

Como nosso organismo não para de utilizar as proteínas, havendo pouca ingestão, ele começa a degradar os músculos para utilizar as proteínas que estão neles. Quando a falta de ingestão é crônica, os músculos vão sendo consumidos pelo próprio organismo. Ocorre perda progressiva da massa muscular e dos órgãos corporais também.

A produção de enzimas e hormônios pode ficar reduzida. Os órgãos corporais também sofrem com essa falta e reduzem sua massa e sua atividade. Nas crianças há deficiência de crescimento corporal e da função cerebral. A pessoa com deficiência de proteínas fica com acúmulo de líquido no corpo (edema) e apática. Ocorre redução do crescimento dos pelos e pode haver alteração na cor do cabelo.

O funcionamento do organismo fica extremamente alterado. A deficiência proteica provoca redução da função imunológica e maior risco para infecções.

A necessidade de proteínas

A quantidade de proteínas que devemos ingerir é estabelecida de forma que seja suficiente para cobrir as perdas corporais diárias de uma pessoa saudável que tenha atividade física moderada.

A recomendação atual é que os adultos tenham uma ingestão diária de 0,8 g de proteína por quilograma de peso corporal, baseando-se num indivíduo com peso adequado.

Com relação à quantidade percentual do volume calórico ingerido, as proteínas devem corresponder de 10 a 35%.

Não há diferença na incorporação da proteína no organismo quando ela é proveniente de fonte animal ou vegetal.

Apesar de haver a recomendação diária de ingestão de proteínas, há uma boa margem de tolerância orgânica no adulto ao ingerir mais ou menos que o recomendado diariamente, desde que isso não seja feito de forma crônica.

Os aminoácidos

Os aminoácidos podem ser chamados de essenciais (ou indispensáveis) ou não-essenciais (ou dispensáveis). Preste atenção! Dizer que um aminoácido é não-essencial ou dispensável significa apenas que não é preciso ingerir esse aminoácido, pois ele pode ser produzido a partir de outros aminoácidos e dos carboidratos dentro do nosso organismo. **Os aminoácidos dispensáveis são tão importantes quanto os indispensáveis.** Alguns aminoácidos são produzidos pelo nosso organismo (os não-essenciais), mas em algumas situações (como enfermidades cirúrgicas graves), o nosso organismo não consegue produzir a quantidade necessária, sendo conveniente a suplementação. Esse grupo de aminoácidos é chamado de condicionalmente essencial.

Existem 20 aminoácidos diferentes que o nosso organismo utiliza. Precisamos ingerir nove deles. Veja a tabela **Classificação dos aminoácidos.**

A necessidade estimada de cada aminoácido ainda não é um consenso.

CLASSIFICAÇÃO DOS AMINOÁCIDOS

Indispensáveis	Dispensáveis
Histidina	Alanina
Isoleucina	Ácido aspártico
Leucina	Asparagina
Lisina	Ácido glutâmico
Metionina	Serina
Fenilalanina	**Condicionalmente indispensáveis**
Treonina	Arginina
Triptofano	Cisteína
Valina	Glutamina
	Glicina
	Prolina
	Tirosina

O valor sugerido tem sido modificado ao longo dos anos. Você pode visualizar a recomendação atual na tabela **Recomendação de aminoácidos.** Alguns aminoácidos são classificados juntos, como os que contêm enxofre (metionina e cisteína). A fenilalanina pode ser transformada em tirosina, por isso também estão juntas na tabela.

RECOMENDAÇÃO DE AMINOÁCIDOS

Aminoácidos	(mg por kg por dia)
Histidina	18
Isoleucina	25
Leucina	55
Lisina	51
Metionina + cisteína	25
Fenilalanina + tirosina	47
Treonina	27
Triptofano	7
Valina	32

Digestão de proteínas

Quando ingerimos as proteínas, elas são degradadas pelo processo digestivo para serem absorvidas na forma de aminoácidos (livres ou "grudados" com poucos outros). Preste atenção! A proteína que você ingere não costuma ser absorvida inteira. Ela é quebrada e, depois de absorvida, os seus aminoácidos serão utilizados pelo organismo para montar a proteína de que ele precisa.

Dessa forma, não adianta ingerir o colágeno, por exemplo, achando que por causa disso você terá colágeno dentro do seu corpo. Ingerindo as proteínas (ou os aminoácidos) o seu organismo vai montar o seu próprio colágeno. Dizer que é necessário ingerir colágeno para ter colágeno no corpo é tão absurdo quanto dizer que precisamos ingerir fígado para termos fígado, ou cérebro para termos cérebro.

A proteína no organismo

Um homem de 70 kg possui cerca de 11 kg de proteína, sendo cerca de 43% desse total composto por músculos esqueléticos.

O nosso organismo possui uma pequena reserva de proteínas circulante pelo corpo, conhecida como proteína lábil. Essa reserva corresponde a 1% do total da proteína corporal, ou seja, cerca de 110 gramas. Esse valor é pequeno, mas muito importante para manter a dinâmica das proteínas no interior do organismo. Isso significa que, se você necessitar imediatamente de algum aminoácido, ele será retirado dessa fonte.

Os tecidos, como os músculos, estão em constante renovação. Sendo assim, as suas proteínas são degradadas e refeitas constantemente. As que são degradadas podem voltar a fazer parte dos aminoácidos circulantes, formar novas proteínas ou serem excretadas.

Termos que você deve conhecer

As diferentes fontes proteicas variam com relação ao seu teor de aminoácidos. A **qualidade** de uma proteína é expressa pela sua capacidade de fornecer os aminoácidos necessários para o crescimento, manutenção e reparo do organismo.

Na prática, o que determina a qualidade de uma proteína são dois fatores: a digestibilidade da proteína e sua composição de aminoácidos (perfil). Esse conjunto é chamado de PDCAA, que veremos a seguir.

1 • Digestibilidade

Se você ingerir 100 g de proteína e houver depois 20 g nas fezes, significa que você absorveu 80% da proteína, ou seja, essa proteína tem digestibilidade de 80%. As proteínas, na realidade, são medidas na forma de nitrogênio. Porém, como as bactérias intestinais produzem nitrogênio, o cálculo final pode estar alterado numa dieta vegetariana, já que, nesse caso, a quantidade de nitrogênio nas fezes tende a ser maior do que a ingerida, devido à produção mais abundante da flora bacteriana dos vegetarianos. Assim, diversos estudos recentes demonstram que a digestibilidade real de cereais, soja e diversos feijões é de mais de 90%, e não menos, como se supunha anteriormente.

Ainda assim, de forma geral, a digestibilidade das proteínas vegetais é menor do que as animais (95%). Alguns compostos existentes nos vegetais podem contribuir para essa redução. A parede celular da planta é o que dificulta a digestão do alimento vegetal. Os alimentos vegetais como o glúten de trigo, farinha de trigo e a proteína isolada de soja apresentam digestibilidade tão boa (95%) quanto a dos alimentos animais (ovos, leite e carne). Os cereais integrais em grãos, ervilhas, arroz branco, farinha de soja e grão-de-bico apresentam digestibilidade em torno de 80 a 90%. Mas, como vimos, esse valor pode estar subestimado.

Apesar desses valores, ainda há muitas questões para serem estudadas sobre a digestibilidade, pois os métodos utilizados dão margem a questionamentos e dúvidas.

2 • A proteína de referência

Para comparar o teor de aminoácidos dos alimentos, em 1946 dois autores (Block e Mitchell) propuseram que a proteína do ovo (a albumina) fosse utilizada como o padrão de aminoácidos para comparação com os outros alimentos. O ovo apresenta uma concentração muito alta de aminoácidos essenciais e isso fez com que muitos outros alimentos fossem considerados, equivocadamente, inadequados para a nutrição humana.

3 • Aminoácido limitante

Diversos alimentos podem conter os seus aminoácidos em boas quantidades. Se, por acaso, um dos aminoácidos estiver presente numa quantidade mais baixa, ele será chamado de aminoácido limitante. Para exemplificar, digamos que você precise, para manter as proteínas do seu corpo em níveis adequados, ingerir 10 g de cada um dos diversos aminoácidos essenciais. No entanto, quando verifica o teor de aminoácidos de um alimento (como o arroz), descobre que, se utilizar apenas o arroz, ao atingir o patamar dos 10 g de todos os aminoácidos, terá ingerido apenas 8 g de um determinado aminoácido. Assim, dizemos que esse é o aminoácido limitante do alimento. Para resolver isso, você tem duas opções: ingerir maior quantidade desse alimento, até chegar à quantidade necessária do aminoácido, ou ingerir outro alimento que tenha maior teor desse aminoácido (como o feijão).

De forma geral, a **lisina** é o aminoácido limitante dos alimentos do grupo dos grãos e a **metionina**, do grupo das leguminosas. Esses valores são determinados por comparação com o perfil de aminoácidos encontrado no ovo. Como a dieta da população mundial é baseada em cereais, a lisina acaba sendo o aminoácido a que se deve prestar mais atenção.

A mágica da lisina

O músculo esquelético consegue armazenar lisina. Isso faz com que, mesmo havendo pouca lisina na refeição realizada, exista lisina em quantidade mais do que suficiente para ser utilizada, sem que o músculo seja degradado.

Veja bem: **os alimentos vegetais contêm todos os aminoácidos essenciais.** O que muda é o teor de cada um.

A tabela **Aminoácidos nos alimentos** , na página 86, mostra diversos pontos importantes. Na coluna **Escore do aminoácido limitante** você observa a relação do aminoácido presente em **menor** quantidade no alimento com relação à proteína padrão (ovo). Os valores devem ser interpretados da seguinte forma: quanto mais elevado o valor, melhor é o teor do aminoácido do alimento. Assuma que todos os alimentos com o valor 100 têm

AMINOÁCIDOS NOS ALIMENTOS

Grupo dos grãos	Escore de aminoácido limitante	Qual é o aminoácido limitante	Escore da lisina
Amaranto	89	Lisina	89
Trigo sarraceno	87	Lisina	87
Aveia	72	Lisina	72
Centeio	71	Lisina	62
Arroz integral	66	Lisina	66
Cevada	64	Lisina	64
Arroz branco	62	Lisina	62
Milho	49	Lisina	49
Triguilho	48	Lisina	48
Triticale	48	Lisina	48
Trigo duro	46	Lisina	46
Farinha de trigo	38	Lisina	38
Sorgo	35	Lisina	35
Painço	33	Lisina	33
Espagueti	33	Lisina	33

Hortaliças	Escore de aminoácido limitante	Qual é o aminoácido limitante	Escore da lisina
Espinafre	100	Não há	105
Batata	91	Leucina	105
Ervilha verde	85	Aminoácido sulfurado	101
Batata doce	85	Lisina	85
Feijão verde	83	Lisina	83
Pimentão	77	Lisina e leucina	77
Repolho	73	Aminoácido sulfurado	81
Quiabo	70	Lisina	70
Abóbora	70	Treonina	95
Brócolis	67	Leucina	82
Inhame, cará	66	Lisina	66
Cenoura	58	Aminoácido sulfurado	67
Tomate	56	Leucina	64
Cebola	53	Leucina	82
Nabo	53	Aminoácidos aromáticos	69
Mandioca	44	Leucina	56

Leguminosas	Escore de aminoácido limitante	Qual é o aminoácido limitante	Escore da lisina
Feijão-branco	100	Não há	118
Feijão-vermelho ou roxo	100	Não há	118
Grão-de-bico	100	Não há	115
Feijão-fradinho	100	Não há	117
Feijão-de-soja	100	Não há	115
Feijão-de-lima	95	Aminoácido sulfurado	116
Feijão guando	91	Aminoácido sulf.	121
Lentilha	86	Aminoácido sulf.	120
Moyashi	83	Aminoácido sulf.	120
Tremoço	78	Aminoácido sulf.	92

Oleaginosas	Escore de aminoácido limitante	Qual é o aminoácido limitante	Escore da lisina
Pistache	100	Não há	107
Semente de abóbora	100	Não há	129
Castanha-de-caju	92	Lisina	92
Semente de algodão	88	Lisina	88
Coco	76	Lisina	76
Semente de girassol	71	Lisina	71
Castanha-do-pará	65	Lisina	65
Noz-pecã	65	Lisina	65
Amendoim	62	Lisina	62
Amêndoa	58	Lisina	58
Semente de gergelim	55	Lisina	55
Noz	47	Lisina	47

Frutas	Escore de aminoácido limitante	Qual é o aminoácido limitante	Escore da lisina
Abacate	82	Lisina	82
Banana	80	Lisina	80
Maçã	75	AA aromáticos	109
Abacaxi	74	Leucina	111
Banana-da-terra	69	Leucina	80
Figo	67	Lisina e Leucina	69
Pera	62	Lisina	62
Pêssego	57	Lisina	57
Laranja	37	Leucina	86
Ameixa	37	Lisina	37

Aminoácidos sulfurados = cisteína e metionina

um perfil de proteínas tão bom quanto o ovo. Na coluna **Qual é o aminoácido limitante** está descrito qual é o aminoácido presente em menor quantidade no alimento.

Finalmente, como a lisina é o aminoácido a que devemos prestar mais atenção, você encontra na coluna "escore da lisina", o valor encontrado desse aminoácido com relação ao alimento dosado e o ovo. Você deve interpretar que, quanto maior o valor encontrado, mais rico em lisina é o alimento. Os alimentos que apresentam valores maiores que 100 oferecem maior teor do que o ovo. Lembre-se de que o ovo tem uma concentração de aminoácidos essenciais muito elevada.

Fala-se muito da soja como uma fonte de proteínas tão rica quanto a carne, mas, observando a tabela, você percebe que o feijão branco, o vermelho ou o fradinho, o grão-de-bico, o pistache e a semente de abóbora são fontes tão boas quanto a soja. Todas elas se equiparam às proteínas do ovo.

4 • Qualidade da proteína (PDCAA)

O PDCAA (escore de digestibilidade da proteína corrigida para aminoácidos) é uma relação entre a digestibilidade da proteína e o seu teor de aminoácidos. Ele é o método preconizado pela Organização das Nações Unidas para Agricultura e Alimentação (FAO) e pela Organização Mundial de Saúde (OMS) para avaliar a qualidade da proteína desde 1991.

PDCAA

Dieta global	PDCAA
Onívoros britânicos	89
Vegetarianos britânicos	81

Assim, para falarmos sobre qualidade de proteínas, não devemos utilizar o valor biológico, e sim o PDCAA! Utilizando-se esse método, a proteína de soja apresenta a mesma qualidade atribuída à proteína animal, como o bife.

De forma geral, avaliando a alimentação como um todo, observamos que esse valor não é muito diferente entre onívoros e vegetarianos. Veja a tabela **PDCAA**.

5 • Valor biológico

Em adultos, o valor biológico das proteínas não se mostrou adequado para avaliar a qualidade da proteína ingerida. Como disse, devemos utilizar o PDCAA!

6 • Proteínas completas e incompletas

Pelo fato de as proteínas animais (carnes, ovos e lácteos) conterem todos os aminoácidos essenciais em grandes quantidades, elas são chamadas de proteínas completas. Como os alimentos vegetais geralmente contêm um ou mais aminoácidos limitantes, eles são chamados de proteínas incompletas. Esses termos são inadequados, já que trazem a ideia errônea de que, comendo proteínas vegetais, faltam aminoácidos. Como disse anteriormente, existem aminoácidos em menor quantidade (limitante) do que o ovo, mas a proteína vegetal contém todos os aminoácidos essenciais.

7 • Complementação de proteínas

Pelo menor teor de alguns aminoácidos específicos em diversos alimentos vegetais, fala-se muito em complementação desses aminoácidos por meio de combinações de diferentes alimentos. Como exemplo disso, enquanto os alimentos do grupo dos grãos (cereais) contêm menos lisina, as leguminosas (feijões) têm grande quantidade desse aminoácido. Da mesma forma, as leguminosas oferecem pouca metionina, que é abundante no grupo dos grãos. Dessa forma, podemos dizer que os alimentos do grupo dos grãos (cereais) complementam os do grupo das leguminosas.

Em animais, como ratos e porcos, o uso de aminoácidos complementares na mesma refeição se mostra bastante importante na eficiência de utilização da proteína ingerida. No entanto, nesses animais, o metabolismo proteico é muito diferente do de seres humanos. Os estudos realizados em seres humanos adultos demonstram que, quando os grupos alimentares são utilizados separadamente em duas a três refeições do dia, o balanço de aminoácidos se mantém adequado no organismo. Isso significa que, se você utiliza o arroz no almoço e o feijão no jantar, por exemplo, não há prejuízo algum na manutenção dos aminoácidos no organismo. Para crianças, convém apenas não passar mais de seis horas sem o uso dos alimentos complementares.

A regra é simples: devemos atingir a ingestão da quantidade diária necessária de todos os aminoácidos. Isso pode e deve ser feito ao longo do dia.

Ingestão máxima de proteínas

Apesar de não existir uma recomendação de ingestão máxima de proteínas estabelecida, isso não significa que devemos abusar das proteínas.

Diversas doenças, como osteoporose, insuficiência renal, câncer, doenças cardiovasculares e obesidade, estão associadas à alta ingestão de proteínas de origem animal. No entanto, não sabemos com certeza até que ponto isso se deve apenas à maior quantidade de proteínas ingerida, ou a outros compostos presentes nesses alimentos, como as gorduras.

Dietas vegetarianas e proteínas

O consumo de proteínas vegetais corresponde a 65% do total de proteínas ingeridas pelas pessoas no mundo todo. Nos Estados Unidos esse consumo corresponde a apenas 32%. Os cereais são o grupo que trazem a maior contribuição.

Análise de diversos estudos mostra que os veganos não apresentam risco maior de deficiência de proteínas. A necessidade proteica é a mesma para vegetarianos e não-vegetarianos adultos, desde que os vegetarianos não tenham uma alimentação baseada num único grupo alimentar.

Os vegetarianos ingerem menos proteínas do que os não-vegetarianos, mas esses valores são adequados em termos de quantidade total de proteínas e de aminoácidos ingeridos — os onívoros consomem mais proteína que o necessário. Geralmente, proteínas compõem 13 a 14% do valor calórico total da dieta dos vegetarianos, enquanto para os onívoros essa taxa fica entre 16 e 17%.

Os oito mitos sobre as proteínas vegetais

1• *As proteínas vegetais são incompletas (carentes de aminoácidos).*

A verdade: alguns alimentos podem apresentar teores baixos de um ou mais aminoácidos específicos. A combinação de alimentos de grupos diferentes fornece todos os aminoácidos em ótimas quantidades.

2• *As proteínas provenientes de fontes vegetais não são "tão boas" quanto as provenientes de fontes animais.*

A verdade: As proteínas vegetais podem ser iguais ou melhores que as proteínas animais. A qualidade depende da fonte da proteína vegetal ou da sua combinação.

3• *As proteínas de diferentes alimentos vegetais devem ser consumidas juntas na mesma refeição para atingir um alto valor nutricional.*

A verdade: os aminoácidos não precisam ser cor sumidos todos na mesma refeição. O mais importante é consumi-los ao longo do dia.

4• *Os métodos baseados em animais para determinar os valores de necessidade nutricional de proteína são adequados para humanos.*

A verdade: esses métodos costumam subestimar a qualidade nutricional das proteínas, já que as necessidades de proteínas e a velocidade de utilização delas é muito diferente entre os animais e os seres humanos.

5• *As proteínas vegetais não são bem digeridas.*

A verdade: a digestibilidade pode variar de acordo com a fonte e o preparo da proteína vegetal. A digestibilidade da proteína vegetal pode ser tão alta quanto a animal para alguns alimentos.

6• *A proteína vegetal não é suficiente, sem a carne, ovo ou os derivados do leite, para oferecer as necessidades humanas de aminoácidos.*

A verdade: a ingestão dos aminoácidos essenciais pode ser tranquilamente atingida utilizando-se apenas as proteínas vegetais ou uma combinação delas com as animais (ovos, leite e queijo).

7• *As proteínas vegetais contêm os seus aminoácidos desbalanceados e isso limita o seu valor nutricional.*

A verdade: não há nenhuma evidência de que esse balanço seja importante. O que importa é que todos os aminoácidos atinjam o seu valor de ingestão recomendado ao longo do dia. Pode ocorrer desbalanço por uma suplementação inadequada de aminoácidos, mas isso não costuma ser um problema prático comum.

8• *Existem aminoácidos na carne que não podem ser encontrados em nenhum alimento do reino vegetal.*

A verdade: todos os aminoácidos essenciais são encontrados em abundância no reino vegetal.

VALOR NUTRICIONAL E TEOR PROTEICO DOS ALIMENTOS

Alimento cru 100g	Proteína g	Calorias kcal	Percentagem calórica Carboidrato %	Proteína %	Gordura %
Grupo dos grãos					
Cereais integrais em grão					
Aveia	16,88	389	68	17	15
Centeio	14,76	335	77,4	16,3	6,2
Trigo-sarraceno (mourisco)	13,25	343	77,5	14	8,4
Quinoa real	13,1	374	73	14	13
Cevada	12,48	354	80,7	14	5,7
Trigo duro branco	11,31	342	83,3	12,5	4,2
Milho branco	9,42	365	79	9,9	11,4
Arroz integral	8	359	86,2	8,9	5
Teor proteico médio	–	–	–	**13,32%**	–
Derivados de cereais integrais					
Germe de trigo cru	23,15	360	53,4	24	22,6
Farelo de trigo	15,55	216	72	17,3	10,6
Macarrão, trigo integral, cru	14,64	348	80,8	15,8	3,4
Aveia, flocos	14	394	68	14,2	18
Farinha de centeio, escura	14	324	77,5	15,7	6,7
Trigo, farinha integral	13,7	339	80	15,5	4,5
Farinha de cevada	10,5	345	84,3	11,7	3,9
Pão, trigo integral	9,7	246	70,6	14,9	14,4
Pipoca (feita com óleo)	9	500	44,2	7	48,8
Pão, centeio integral	8,7	250	75,2	13,7	11
Milho, fubá, cru	7	364	87,3	7,6	5
Teor proteico médio	–	–	–	**14,30%**	–
Cereais refinados					
Macarrão, trigo, cru	10	371	86,5	11	2,5
Macarrão, trigo, cru com ovos	10	371	84,2	11	4,8
Trigo, farinha branca	8	300	80	10,8	9,1
Trigo, pão francês	8	300	80	10,8	9,1
Arroz branco	7	359	91,8	8,1	0
Teor proteico médio	–	–	–	**10,34%**	–
Alimentos ricos em proteína					
Leguminosas					
Soja, semente madura torrada	39,58	451	27,1	32,8	40,1
Soja, semente madura crua	36,49	416	27	32,7	40,2
Fava, semente madura crua	26,12	341	66,3	29,7	3,9
Ervilha seca, semente madura	24,54	341	69	28	3
Feijão-branco, cru	23,36	333	70,4	27,3	2,2
Lentilha crua	23	347	71,7	25,8	2,4
Grão-de-bico, farinha	22,38	387	60,8	23,4	15,7
Feijão-preto, cru	21	331	72,1	25,1	2,7
Feijão-rosinha, semente madura crua	20,95	343	73,2	23,9	2,8
Feijão-carioca cru	20	336	73,9	23,5	2,5
Azuki, semente madura crua	19,8	329	75	23,5	1,4
Grão-de-bico	19,29	364	65	20,4	14,6
Teor proteico médio	–	–	–	**26,34%**	–
Derivados de soja					
Aguê	18,6	386	2,7	19,4	77,8
Tofu firme (feito com *nigari*)	8,19	70	8,7	42,5	48,7
Tofu cru (feito com sulfato de cálcio)	8,08	76	9	39	52
Tofu macio (feito com *nigari*)	6,55	61	10,8	40	49,1
Teor proteico médio	–	–	–	**35,22%**	–

Alimento cru, 100g	Proteína g	Calorias kcal	Porcentagem calórica Carboidrato %	Proteína %	Gordura %
Oleaginosas					
Amendoim cru	25,7	567	10,5	16,9	72,6
Amêndoa	21,26	578	12,7	13,7	73,5
Pistache cru	20,61	557	18,8	13,9	67,3
Castanha-de-caju torrada sem sal	15,31	574	21,4	10	68,6
Avelã	14,95	628	10	8,9	81,1
Castanha-do-pará	14,32	656	7	8,1	84,9
Noz-pecã	9,17	691	7,5	5	87,5
Teor proteico médio	–	–	–	**10,92%**	–
Sementes					
Abóbora assada sem sal	32,97	522	9,5	23,3	67,1
Melancia seca crua	28,33	557	10,9	18,6	70,5
Girassol seca	22,78	570	12,2	14,9	72,8
Linhaça	18,29	534	20,3	12,9	66,8
Gergelim tostadas sem sal	16,95	567	16,2	11,2	71,5
Teor proteico médio	–	–	–	**16,18%**	–
Derivados de sementes					
Tahine	17	595	13,3	10,6	76
Leite de soja	4,48	52	35,9	32,6	31,4
Peixes					
Bacalhau salgado cru	29	136	0	92,8	7,2
Atum fresco cru	26	118	0	92	8
Sardinha inteira crua	21	114	0	75,6	24,4
Merluza, filé cru	17	89	0	79	21
Pescada, filé crua	17	107	0	65,4	34,6
Pescada, branca crua	16	111	0	58,7	41,3
Teor proteico médio	–	–	–	**77,25%**	–
Carne bovina					
Contrafilé sem gordura grelhado	36	194	0	80	20
Filé mignon sem gordura grelhado	33	220	0	62	38
Lagarto cozido	33	221	0	62	38
Contrafilé com gordura grelhado	32	278	0	48,6	51,4
Coxão duro sem gordura cozido	32	216	0	61,2	38,8
Coxão mole sem gordura cozido	32	219	0	61,3	38,7
Picanha sem gordura grelhada	32	238	0	56,3	43,7
Músculo sem gordura cozido	31	194	0	66,3	33,7
Fígado grelhado	30	225	0	59,8	40,2
Contrafilé sem gordura cru	24	157	0	64	36
Fraldinha com gordura cozida	24	338	0	29	71
Contrafilé com gordura cru	21	206	0	41,7	58,3
Teor proteico médio	–	–	–	**57,68%**	–
Frango					
Peito sem pele, sem osso, cru	22	118	0	76,5	23,5
Peito com pele, sem osso, cru	21	148	0	57,1	42,9
Asa com pele, crua	18	213	0	34,8	65,2
Coxa sem pele, sem osso, crua	18	120	0	61,5	38,5
Sobrecoxa, sem pele, sem osso, crua	18	162	0	44,4	55,5
Fígado cru	18	106	0	72,7	27,27
Coxa com pele, sem osso, crua	17	161	0	43	57
Sobrecoxa, com pele, sem osso, crua	15	225	0	24	76
Coração cru	13	222	0	23,3	76,7
Teor proteico médio	–	–	–	**48,58%**	–

VALOR NUTRICIONAL E TEOR PROTEICO DOS ALIMENTOS

Alimento cru, 100g	Proteína g	Calorias kcal	Percentagem calórica Carboidrato %	Proteína %	Gordura %
Frios					
Salame, seco ou duro	23,2	385	4	24,5	71,5
Presunto fatiado extra magro (5% gordura)	17,28	110	9,92	65,6	24,4
Presunto fatiado (11% de gordura)	16,6	163	9,6	41,7	48,6
Mortadela	15,2	308	7,2	20	72,8
Salsicha de frango	12,93	257	10,6	20,3	69
Salsicha	11,53	305	2,2	15,3	82,5
Mortadela de peru	11,42	209	8,9	21,9	69,2
Bacon (sem carne)	10,68	310	7,5	12,8	79,6
Teor proteico médio	–	–	–	**27,76%**	–
Leite e iogurte					
Iogurte natural	4	51	15,7	31,3	53
Leite de cabra	3,56	69	25,7	20,5	53,8
Leite de vaca semidesnatado	3,3	50	37,7	26,6	35,7
Leite de vaca integral	3,28	64	28,7	20,3	50,9
Leite de vaca, integral em pó	25	497	31,5	19,9	48,6
Leite de vaca, pó desnatado	35	362	58,7	38,7	2,5
Leite condensado	8	313	70,6	9,9	19,5
Teor proteico médio	–	–	–	**23,88%**	–
Queijos					
Parmesão ralado	38,45	431	3,7	36	60,3
Parmesão duro	35,75	392	3,2	36,8	60
Suíço	26,93	380	5,6	28,3	66
Provolone	25,58	351	2,4	29	68,6
Cheddar	24,9	403	1,2	24,7	74
Prato	23,78	352	0,6	27	72,4
Mozarela	22,17	300	2,9	29,7	67,4
De cabra semimacio	21,58	364	2,8	23,6	73,6
Gorgonzola	21,4	353	2,6	24,2	73,2
Brie	20,75	334	0,5	24,8	74,6
Ricota	11,26	174	6,9	25,8	67,2
Cream cheese	7,55	349	2,9	8,5	88,6
Teor proteico médio	–	–	–	**26,53%**	–
Ovos					
De codorna, inteiro, cru	13,05	158	1	33	63,1
De galinha, inteiro, cru	13	143	5,6	36,3	56,6
De pato, inteiro, cru	12,81	185	3,1	27,7	66,9
De galinha, inteiro, fervido	12,58	155	2,9	32,4	61,6
Teor proteico médio	–	–	–	**32,35%**	–
Hortaliças					
Legumes					
Ervilha verde, crua	5,42	81	69,5	26	4,5
Palmito pupunha	2,8	28,5	60	40	0
Palmito (lata)	2,52	28	54,1	29,5	16,4
Aspargo cozido, drenado	2,4	22	58,7	34,2	7
Bardana cozida	2,09	88	89,8	8,8	1,33
Abóbora capotian	2	39	65,3	16,3	18,3
Beterraba	2	49	84,6	15,3	0
Quiabo cru	2	31	75,9	21,6	2,4
Vagem crua	2	25	71,4	28,5	0
Abóbora	1	14	75	25	0
Abobrinha	1	19	80	20	0

Alimento cru, 100g	Proteína g	Calorias kcal	Percentagem calórica Carboidrato %	Proteína %	Gordura %
Legumes					
Beringela	1	20	80	20	0
Cenoura	1	34	88,9	11,1	0
Chuchu cru	1	17	80	20	0
Jiló cru	1	27	85,7	14,3	0
Maxixe	1	14	75	25	0
Nabo cru	1	18	80	20	0
Pepino	1	10	66,6	33,3	0
Pimentão amarelo	1	28	85,7	14,2	0
Pimentão verde	1	21	83,38	16,6	0
Pimentão vermelho	1	23	83,4	16,6	0
Rabanete	1	14	75	25	0
Tomate cru com semente	1	15	75	25	0
Teor proteico médio	–	–	–	**22,00%**	–
Cogumelos*					
Shiitake seco	9,58	296	86,6	10,9	2,5
Castanhos	4,7	36	45	48	7
Champignon cru	3,11	22	45,5	43,6	10,7
Dinamarqueses	2,85	21,4	60	40	0
Pleurotus branco e *salmon*	2	25,3	57,8	25,2	17
Shimeji escuro	0,42	5,4	57,6	24,2	18,1
Teor proteico médio	–	–	–	**31,98%**	–
Verduras e brotos					
Broto de lentilha cru	8,96	106	68,4	27,7	3,8
Broto de trigo	7,49	198	80,4	14,16	5,4
Brócolis crus	4	25	50	50	0
Broto de trevo	4	30	46,6	53,3	0
Broto de alfafa cru	3,99	29	40,5	42,8	16,6
Alcachofra cozida sem sal	3,48	50	74,4	23,1	2,4
Couve-de-bruxelas crua	3,38	43	68,8	26	5,1
Agrião	3	17	40	60	0
Espinafre cru	2,86	23	49,2	38,8	12
Mostarda crua	2,7	26	60,8	33,5	5,6
Broto de bambu cru	2,6	27	61,4	30,6	7,9
Rúcula crua	2,58	25	47,5	33,3	19,1
Couve manteiga crua	2,45	30	63	26,7	10,3
Alface lisa crua	2	14	50	50	0
Almeirão	2	18	60	40	0
Couve-flor cozida	2	23	71,4	28,5	0
Acelga crua	1,8	19	62,4	30	7,5
Chicória	1,7	23	66,4	24	9,5
Repolho chinês (*pak-choi*) cru	1,5	13	52,8	36,3	10,8
Repolho cru	1,44	24	76,5	19,7	3,7
Repolho vermelho cru	1,43	31	80,4	15,6	3,9
Alface crespa crua	1	11	66,6	33,3	0
Salsão cru	0,69	14	73,5	17	9,4
Teor proteico médio	–	–	–	**32,79%**	–
Algas*					
Espirulina seca	57,47	290	24,2	58,2	17,6
Nori	7,14	28,5	50	50	0
Ágar, seco	6,21	306	92,15	7	0,7
Ágar, cru	0,54	26	91,7	7,3	1
Teor proteico médio	–	–	–	**30,62%**	–

*Cogumelos e algas não são vegetais, mas têm características nutricionais que os aproximam das hortaliças

VALOR NUTRICIONAL E TEOR PROTEICO DOS ALIMENTOS

Alimento cru, 100g	Proteína g	Calorias kcal	Percentagem calórica Carboidrato %	Proteína %	Gordura %
Amiláceos					
Batata-inglesa	2	64	88,2	11,8	0
Cará cru	2	96	92	8	0
Inhame cru	2	97	92	8	0
Castanha-portuguesa crua sem pele	1,63	196	90,9	3,3	5,7
Batata-baroa	1	101	95,9	4,1	0
Batata-doce	1	118	96,5	3,5	0
Mandioca crua	1	151	97,3	2,7	0
Teor proteico médio	–	–	–	**5,91%**	–
Grupo das frutas					
Frutas frescas					
Tamarindo	2,8	239	93,7	4,2	2
Goiaba	2,55	68	75,3	13,4	11,2
Abacate	2	160	19,6	4,6	75,8
Banana-maçã	2	87	91,6	8,3	0
Maracujá	2	68	85,7	14,2	0
Jaca	1,47	94	91,8	5,6	2,6
Amora	1,44	43	80,87	11,8	7,2
Damasco	1,4	48	83	10,4	6,5
Cereja	1,06	63	74,22	5	20,8
Carambola	1,04	31	79	12,2	8,7
Abacaxi	1	48	92,3	7,7	0
Ameixa	1	53	93,3	6,6	0
Banana-de terra	1	128	97,1	2,8	0
Banana-nanica	1	92	96	4	0
Banana-ouro	1	112	96,6	3,3	0
Banana-prata	1	98	96,29	3,7	0
Caju	1	43	90,9	9,1	0
Figo	1	41	91	9	0
Kiwi	1	51	91,6	8,3	0
Laranja-baía com bagaço	1	45	91,6	8,3	0
Laranja-pera com bagaço	1	37	90	10	0
Mamão Formosa	1	45	92,3	7,7	0
Manga Tommy Atkins	1	51	92,8	7,14	0
Melancia	1	33	88,8	11,1	0
Morango	1	30	87,5	12,5	0
Pera Williams	1	53	93,3	6,6	0
Uva Itália	1	53	93,3	6,6	0
Romã	0,95	68	91,3	5	3,4
Pêssego	0,91	39	86,6	8,26	5,1
Tangerina	0,81	53	89,8	5,4	4,7
Pitanga	0,8	33	81,5	8,7	9,8
Mamão papaia	0,61	39	91,3	5,7	2,9
Caqui japonês	0,58	70	94,8	2,95	2,18
Melão	0,54	36	91,4	5,4	3,16
Sapoti	0,44	83	87,2	1,9	10,8
Nêspera	0,43	47	93,2	3,3	3,4
Acerola	0,4	32	87,7	4,5	7,7
Marmelo	0,4	57	96	2,5	1,4
Maçã Fuji	0	56	100	0	0
Teor proteico médio	–	–	–	**6,86%**	–

Alimento cru, 100g	Proteína g	Calorias kcal	Percentagem calórica Carboidrato %	Proteína %	Gordura %
Frutas secas					
Damasco desidratado	4,9	320	93	5,5	1,5
Banana	3,89	346	91,7	4	4,2
Pêssego desidratado	3,61	239	92	5,4	2,5
Figo desidratado	3,3	249	92,2	4,7	3
Uva passa sem semente	3,07	299	95,07	3,7	1,2
Uva passa com semente	2,52	296	95,4	3	1,47
Tâmara seca	2,45	282	95,7	3,12	1,12
Caqui japonês, seco	1,38	274	96,44	1,8	1,74
Ameixa *umeboshi*	0,7	127	94,2	2,19	3,5
Teor proteico médio	–	–	–	**3,71%**	–
Sucos (sem adição de água)					
Laranja-baía suco	1	37	90	10	0
Limão-galego suco	1	22	87,5	12,5	0
Tangerina-poncã suco	1	38	91	9	0
Laranja suco	0,7	45	90	6	3,9
Teor proteico médio	–	–	–	**9,37%**	–
Grupo dos Óleos					
Óleos					
Canola	0	884	0	0	100
Coco	0	862	0	0	100
Gergelim	0	884	0	0	100
Girassol, oleico (mais de 70%)	0	884	0	0	100
Linhaça	0	884	0	0	100
Milho	0	884	0	0	100
Oliva	0	884	0	0	100
Soja (mesa e cozinha)	0	884	0	0	100
Teor proteico médio	–	–	–	**0%**	–
Outros					
Margarina de milho	0,9	719	0,5	0,5	99
Manteiga	0,85	717	0,003	0,45	99,5
Azeitona em conserva, madura	0,84	115	20,1	2,7	77,1
Banha	0	902	0	0	100
Gordura vegetal hidrogenada	0	884	0	0	100
Teor proteico médio	–	–	–	**0,73%**	–
Adoçantes					
Mel	0,3	304	99,5	0,4	0
Melado de cana	0	290	99,6	0	0,3
Açúcar mascavo	0	377	100	0	0
Açúcar cristal	0	387	100	0	0
Açúcar refinado	0	387	100	0	0
Teor proteico médio	–	–	–	**0%**	–

Como adequar a proteína na dieta vegetariana?

A resposta é extremamente simples: basta ingerir a quantidade de calorias necessárias por dia. Não se assuste! É simples assim mesmo!

Veja bem, vou provar isso. Vimos anteriormente que **devemos ingerir pelo menos 10% do valor calórico total diário em proteínas.** Vou ensinar como calcular isso. Basta avaliar o teor de proteínas, gorduras e carboidratos do alimento e, conjuntamente, calcular o seu valor calórico total. Por exemplo, 100 gramas de aveia crua (395 cal) contêm cerca de 66 gramas (1 grama = 4 calorias) de carboidratos, 17 gramas (1 grama = 4 calorias) de proteínas e 7 gramas (1 grama = 9 calorias) de gorduras.

Assim, teremos:

264 cal de carboidrato (66 g x 4 cal),
68 cal de proteína (17 g x 4 cal) e
63 cal de gordura (7 g x 9 cal).

Se 395 calorias (valor calórico total de 100 gramas da aveia crua) equivalem a 100% do valor calórico, 68 calorias (valor referente às proteínas) equivale a 17,2%. Assim, se você resolver comer apenas aveia diariamente e conseguir atingir o valor calórico necessário com essa dieta monótona, você estará conseguindo 17% do seu valor calórico como proteínas, o que é mais que os 10% necessários.

Calma! Você não vai precisar fazer esses cálculos todos os dias! Observe a tabela **Valor nutricional e teor proteico dos alimentos** da página 90. Nela, estão prontos os cálculos para os principais alimentos de todos os grupos. Para facilitar, coloquei a média de cada grupo em destaque.

Observe que, se você tiver a sua ingestão calórica satisfeita, quase todos os alimentos vegetais lhe fornecerão mais de 10% das suas calorias na forma de proteínas. As únicas exceções serão os grupos das frutas e dos vegetais amiláceos. Fica também evidente que os óleos e os adoçantes não contêm proteínas.

Aquecimento das proteínas

O tipo de aquecimento, assim como a temperatura atingida durante o processo de cozimento modificam a digestibilidade da proteína do alimento. O cozimento em água geralmente melhora a qualidade da proteína, enquanto o calor a seco e o ato de tostar reduzem essa qualidade. Em geral, os processos culinários que atingem altas temperaturas reduzem o aproveitamento das proteínas. Isso ocorre na produção industrial dos cereais matinais.

Curiosamente, as verduras e legumes apresentam um alto valor proteico proporcionalmente às suas calorias, mas pelo fato de serem muito pobres em calorias, ninguém conseguiria atingir as necessidades calóricas apenas comendo esses alimentos. Para atingir 2.000 calorias diárias comendo couve, seria necessário ingerir 6,6 kg da folha (equivalente a 132 xícaras da folha crua picada ou 66 xícaras da folha cozida, já que a folha cozida tem seu volume diminuído pela perda de água)!
Observe que as carnes são muito ricas em proteínas. Uma dieta baseada em carnes pode tranquilamente ultrapassar a quantidade máxima admitida (35%).

Como adequar os aminoácidos na dieta vegetariana

Vimos que adequar as proteínas é algo extremamente simples.
A adequação dos aminoácidos também não traz problema algum, basta variar os grupos ingeridos. Tendo em vista que o grupo dos grãos (cereais) e das oleaginosas possuem menos lisina, o uso das leguminosas e dos outros grupos complementa esse aminoácido limitante.
Seguindo a orientação fornecida no capítulo sobre a refeição vegetariana, essa adequação está pronta.

Conclusão

A dieta vegetariana fornece proteínas e aminoácidos em quantidade e qualidade adequadas ao atingir as necessidades calóricas e variando os grupos de alimentos.
Os estudos populacionais não detectam carência de proteínas em vegetarianos.

fatores antinutricionais

Os vilões da dieta

Existem diversas substâncias presentes nos vegetais que podem interferir na assimilação de alguns nutrientes importantes para a saúde. Os principais são os descritos a seguir: você verá que algumas medidas muito simples, como o aquecimento, reduzem ou anulam seus efeitos. Adiante, você lerá sobre os dois maiores vilões da dieta: os ácidos fítico e oxálico (fitato e oxalato).

Inibidores de proteinase (enzimas que digerem proteínas): dificultam a digestão de proteínas. São encontrados em diversos tipos de feijões, soja, amendoim, batata e batata-doce. O aquecimento reduz a quantidade presente no alimento.

Hemaglutininas: proteínas vegetais que podem aglutinar as células vermelhas do sangue. Está presente em diversos tipos de feijões, inclusive de soja. O cozimento reduz o seu potencial tóxico.

Compostos bociogênicos: podem interferir na utilização do iodo ou no funcionamento da glândula tireoide. Presentes em ervilhas, painço e nas brássicas (brócolis, repolho, couve, couve-de-bruxelas, couve-flor e couve-rábano). O seu efeito em seres humanos é muito pequeno.

Inibidores da alfa-amilase: prejudicam a digestão do amido. Presentes em grãos de cereais, ervilhas, grãos no geral. O aquecimento reduz o teor desse antinutriente.

Tiaminase: destrói a vitamina B1 (tiamina). Presente em peixes, frutos do mar, couve-de-bruxelas e repolho vermelho. O aquecimento inativa esse antinutriente.

Polifenóis: ligam-se ao ferro vegetal, dificultando a sua absorção. Estão presentes nas plantas e têm função protetora contra bactérias, fungos e vírus. São mais de 3 mil compostos identificados, como as catequinas, taninos e as isoflavonas. O feijão preto contém altas quantidades de polifenóis. O uso concomitante de vitamina C pode reduzir o efeito negativo dos polifenóis com relação ao ferro. No processo de germinação, reduz-se a quantidade de compostos fenólicos (como a catequina) do grão. No entanto, a fermentação aumenta a sua quantidade.

Ácido fítico e alimentos integrais

O ácido fítico é reconhecido como um antinutriente, ou seja, um composto que dificulta a absorção de um ou mais nutrientes. Ele está presente nas sementes, como nos grãos dos cereais integrais e das leguminosas. Os vegetais amiláceos também o contêm, mas em menor quantidade.

Apesar de ser um antinutriente, ele pode ter essa ação anulada ou no mínimo reduzida se tivermos alguns cuidados no preparo dos alimentos. Veremos que uma das soluções para isso é ativar uma enzima chamada fitase, que está dentro do próprio grão. A solução já está no próprio grão! Falarei sobre isso logo a seguir.

O ácido fítico, ou fitato, na verdade se chama hexafosfato de mioinositol. Farei referência a ele com o nome de ácido fítico ou fitato.

Por que vamos falar sobre o fitato?

Por um motivo muito importante. Ele está presente em diversos alimentos e pode dificultar a absorção de alguns minerais, como cálcio, ferro e zinco, sendo os dois últimos os mais afetados.

Para que serve o fitato?

Certamente, **o fitato não serve apenas para atrapalhar a sua nutrição.** Esse composto é responsável pelo estoque de energia do grão, que se faz pelo armazenamento de fósforo. Seria como se o fitato fosse uma pilha, e o fósforo que ele contém, a energia que será oferecida. O fitato pode corresponder de 1 a 7% do peso seco do grão. O fósforo contido no fitato pode corresponder a 80% do total existente na semente. Alguns outros vegetais, como cenouras e batatas, também contêm fitato, mas em menor quantidade que as sementes.

Por que o grão precisa guardar energia? É simples. Para germinar, é necessário energia. No processo inicial da germinação, a planta ainda não tem condições de realizar fotossíntese para produzir energia. Assim, é o fitato que vai fornecer essa energia para o grão conseguir germinar.

Vamos enriquecer um pouco mais o nosso conhecimento.

Você se lembra de que o nome do fitato é hexafosfato de mioinositol? Isso significa que esse composto (mioinositol) apresenta seis (hexa) fósforos (fosfato). Com o processo de germinação e a utilização do fósforo, esse composto ficará com cinco (penta) fósforos, depois com quatro (tetra) e assim por diante. Importante: a redução da absorção dos minerais é mais significativa quando o ácido fítico apresenta cinco ou seis fósforos. Quando há menos fósforo do que isso, esses minerais (ferro, zinco e cálcio) ficam bastante disponíveis para serem absorvidos.

Dessa forma, conforme a semente vai germinando, o fósforo vai sendo utilizado e os minerais ficam mais disponíveis para a absorção. No processo de germinação, uma enzima chamada fitase vai "quebrando" e liberando o fósforo do fitato. Memorize isso! **A germinação reduz o teor de ácido fítico do grão!**

Como germinar os grãos

Você deve oferecer condições para que a semente "tenha vontade" de brotar. Seja generoso: deixe as sementes de molho na água por 8 a 12 horas. Depois disso, despreze essa água (parte do fitato vai embora junto com a água).

Agora, as sementes devem permanecer úmidas (não encharcadas!). Coloque as sementes em uma vasilha na sombra. Duas ou três vezes por dia, coloque bastante água, deixe por uns dois minutos e escorra completamente essa água. Se as sementes permanecerem nesse processo por tempo suficiente, você observará que elas começarão a brotar. No entanto, não é necessário aguardar esse tempo todo.

• Coloquei a semente em processo de germinação. Quanto tempo demora para que o fitato seja degradado?

A resposta não é simples. Os diferentes grãos apresentam diferentes teores de fitato ou de fitase. Além disso, outros fatores também influenciam a germinação, como o pH e a temperatura a que eles são expostos. Portanto, não é possível saber, fora do laboratório, qual é o tempo exato que o fitato será degradado na semente. Fará diferença se for inverno ou verão, assim como é diferente o tempo para os diferentes tipos de grãos.

De forma geral, a recomendação atual é que você deixe os grãos em processo de germinação de 12 a 24 horas.

Lembre-se de que o processo de germinação começa quando você coloca o grão de molho na água.

Ácido fítico: bandido ou mocinho?

• Mocinho

Algumas pesquisas mostram efeitos benéficos na redução de colesterol, triglicérides, controle do excesso de ferro no intestino (que forma radicais livres) e prevenção do câncer de cólon (intestino grosso) com o uso de alimentos ricos em fitato, sendo bastante provável que ele participe diretamente desse efeito protetor. O fitato também consegue reduzir a toxicidade de metais pesados ingeridos, como cádmio e chumbo, já que inibe a sua absorção.

• Bandido

Por interferir negativamente na absorção de minerais (zinco, ferro e cálcio), seria como se estivéssemos ingerindo menos cálcio, ferro e zinco.

Processamento de alimentos e ácido fítico

O processamento de alimentos pode alterar o seu teor de fitato e/ou de fitase. Assim, a biodisponibilidade de minerais também pode ser alterada.

Entende-se como processamento de alimentos: fermentação, cozimento, extrusão, assadura, tostagem, embebição em água, amassamento etc. Os procedimentos que melhoram a atividade de fitase e reduzem o teor de fitato e que você pode fazer em casa são: embeber o grão em água, germiná-lo e fermentá-lo (processo utilizado para fazer pão). Falarei sobre esses processos adiante.

O **aquecimento** suave aumenta a digestibilidade de alguns alimentos e reduz o ácido fítico de vegetais amiláceos (batatas, inhame, cará, mandioca...), mas não de cereais. As perdas de fitato no cozimento são variáveis. Elas dependem da espécie da planta, de condições de temperatura, pH e da presença de outros cátions (cálcio, magnésio e sódio).

A **moagem** do grão pode reduzir o teor de fitato (e da fibra dietética) de cereais e de alguns óleos de sementes (exceto da soja).

A **extrusão** é utilizada na preparação industrial de alimentos, como *snacks* e cereais matinais (tipo *corn flakes*). Esse processo é realizado com alta temperatura (110 a 180°C). O alimento é forçado a passar por uma fenda predeterminada, assumindo a sua forma específica. Na extrusão, é utilizado excesso de calor, não sendo o melhor método para destruir o ácido fítico, pois também reduz a biodisponibilidade de minerais (como o zinco) por causar alterações químicas. A fitase é inativada no processo.

A **biotecnologia** consegue produzir fitase extraída do fungo *Aspergillus niger*. Essa enzima, daqui a algum tempo, provavelmente poderá ser comprada e utilizada nas preparações culinárias. Atualmente, é usada na elaboração de fórmulas lácteas substitutas do aleitamento materno e em alimentos infantis, assim como em rações para animais. A fitase comercial consegue degradar completamente o fitato em duas horas.

O Departamento de Agricultura dos Estados Unidos e outras entidades têm isolado culturas de milho, cevada, arroz e soja que apresentam **mutações genéticas.** Essas mutações fazem com que a semente apresente menor teor de fitato. As colheitas dessas plantas mostram uma redução do teor de fitato das sementes entre 50 a 95%.

Como reduzir, em casa, o teor de fitato ingerido?

Preparações como deixar de molho na água, germinação e fermentação ativam a fitase e, consequentemente, degradam o ácido fítico.

• Fermentação da farinha para o pão

Os alimentos fermentados apresentam ácidos orgânicos (acético, cítrico, lático e málico). Esses compostos deixam o meio intestinal ácido e facilitam a absorção dos minerais citados (especialmente o zinco). Isso vale para a farinha (de trigo ou centeio) usada para fazer pão caseiro.

Além disso, a fermentação ativa a fitase do grão (que irá degradar o fitato). A degradação do fitato pode variar de acordo com o tipo de pão e o modo de produção. Essa redução costuma variar entre 13 a 100%, sendo as taxas mais baixas nos pães não fermentados naturalmente (como os que utilizam bicarbonato de sódio).

A fermentação "espontânea", sem o uso de leveduras, é mais eficiente ainda em reduzir o fitato. Esse método é adotado por alguns naturalistas que aguardam um tempo maior para a fermentação do pão, não utilizando fermentos de espécie nenhuma.

• Molho na água

O fitato é hidrossolúvel (se dissolve na água) e pode ser parcialmente removido por difusão, deixando-se o grão embebido na água. A fração de fitato hidrossolúvel pode ser de 10% no gergelim até 70 a 97% em alguns feijões (soja em flocos, feijão-branco e azuki). Embeber o grão em água é fundamental para ativar e acelerar o processo de germinação.

Consumir grãos germinados

Durante a germinação, a fitase do grão é ativada e o ácido fítico vai sendo reduzido (ele cede o fósforo para o crescimento do embrião na semente).

De forma geral, os grãos devem permanecer de 12 a 24 horas em processo de germinação. Entende-se como processo de germinação o período em que o grão é colocado de molho na água, até o momento em que é levado para a panela.

Para os vegetarianos crudívoros, esse tempo poderá ser prolongado, para que o processo de mastigação seja facilitado.

Combinando os diversos métodos (sem neurose, por favor!)

Para os que têm tempo e gostam da arte culinária, uma forma de reduzir drasticamente o fitato do alimento é submetê-lo à combinação dos diversos métodos. É possível deixar o grão de trigo de molho na água, esperar o processo de germinação. Depois, deixá-lo secar completamente e moê-lo para conseguir a sua farinha. Pode-se utilizar essa farinha para fazer pão, deixando sua mistura com água fermentar.

Probióticos

Atualmente, se estuda a possibilidade de usar probióticos (micro-organismos benéficos, como *Lactobacillus*, e viáveis à colonização do intestino) como uma forma de melhorar a absorção de minerais. É relevante a hipótese de as bactérias intestinais reduzirem o pH intestinal (o que favorece a assimilação de minerais), assim como a melhor ação da fitase.

Uso de alimentos ricos em vitamina C

A vitamina C consegue reduzir os efeitos do fitato. O uso de 30 mg de vitamina C em uma refeição baseada em pão pode ser suficiente para dobrar a absorção do ferro. Leia o capítulo sobre o ferro.

Mitos

Os alimentos germinados contêm mais minerais?

Vamos raciocinar juntos. Você tem uma semente na sua frente. Essa semente não tem como retirar nenhum nutriente do meio externo. Vamos também partir do princípio de que as sementes não "materializam" os seus nutrientes. Quando você a coloca para germinar, apenas água é fornecida. Portanto, não há como a semente aumentar seu teor de ferro ou zinco, por exemplo. O que ocorre é que há redução do ácido fítico. Dessa forma, ela apresentará a mesma quantidade de minerais, mas esses minerais estarão mais disponíveis para serem absorvidos.

Absorverei mais minerais se utilizar alimentos refinados?

A refinação de grãos de cereais remove boa parte do fitato. Por outro lado, a maioria dos minerais, como zinco, ferro, cálcio, magnésio, manganês e cobre também são removidos do grão na refinação. Assim, apesar de ocorrer redução no teor de fitato, também é reduzido o teor dos minerais contidos nele.

Seria como trocar "seis por meia-dúzia", se pensarmos em termos de nutrientes aproveitados. Os alimentos integrais contêm bastante fitato, mas também alto teor de minerais. Os alimentos refinados contêm pouco fitato, mas também baixo teor de minerais.

Mantenha o alimento com alto teor de minerais (alimento integral) na sua dieta e reduza o seu teor de fitato. Essa é a escolha mais inteligente.

Ácido oxálico

Como vimos anteriormente, os veganos costumam apresentar menor ingestão de cálcio que os outros grupos de vegetarianos e os onívoros. O ácido oxálico é o inibidor mais potente da absorção de cálcio. É por esse motivo que precisamos conhecê-lo. Ingerir alimentos ricos em ácido oxálico é como se estivéssemos ingerindo menos cálcio, pois este não será bem absorvido. Ácido oxálico e oxalato são sinônimos, certo?

Qual é a função do oxalato?

Inicialmente, precisamos entender que o cálcio deve ser mantido sempre em valores muito bem delimitados dentro de um organismo. Ele não pode, em hipótese alguma, ficar em falta ou em excesso dentro do organismo humano ou vegetal.

O cálcio livre em excesso em um organismo causa a morte das células, pois reage com diversas substâncias. Os organismos precisam se proteger desse perigo. O ácido oxálico é um protetor da célula vegetal, pois se liga ao cálcio e não o deixa solto. Portanto, sua principal função é defender a planta do excesso de cálcio, para que as suas células não morram.

O ácido oxálico é um composto importante para o vegetal. Nós, seres humanos, controlamos nosso metabolismo de cálcio de outra forma, ou seja, sem o ácido oxálico.

Quantidade de ácido oxálico nos vegetais

Veja a tabela **Teor de oxalato nos alimentos.** As folhas das plantas contêm níveis de oxalato mais elevados que os talos. Mas as brássicas (brócolis, couve, repolho chinês, repolho, mostarda, folha de nabo) são diferentes no reino vegetal. Elas não precisam de oxalato para se proteger do excesso de cálcio e da morte celular.

Os alimentos com maior quantidade de oxalato (mais que 600 mg por 100 g de alimento) são: espinafre, ruibarbo, beterraba, acelga e cacau em pó (desidratado).

A soja é uma exceção a essa regra, pois apesar de apresentar alto teor de oxalato (e fitato também), preserva boa absorção de cálcio.

Competição para a absorção: cálcio e oxalato

O efeito preocupante do oxalato está na sua capacidade de dificultar a absorção de cálcio. Quanto mais oxalato o vegetal apresenta, menos cálcio conseguimos absorver. Para exemplificar, a absorção do cálcio proveniente do espinafre, que é rico em oxalato, é de apenas 5%.

O oxalato pode ser absorvido quando não se encontra ligado ao cálcio no intestino. Quando o oxalato é absorvido, posteriormente é excretado pelo rim, e não é aproveitado.

O oxalato da dieta pode estar envolvido na formação de cálculos renais. Cerca de 75% dos casos de cálculos nos rins são devido a pedras compostas por oxalato de cálcio.

Reduzir o consumo de oxalato diminui a formação de cálculos renais? Os estudos

TEOR DE OXALATO NOS ALIMENTOS

Alimento	mg de oxalato/100 g
Espinafre cozido	750
Ruibarbo enlatado	600
Beterraba cozida	675
Acelga suíça	654
Cacau em pó seco	623
Pimenta	419
Canela moída	362,74
Germe de trigo	299
Pecãs	202
Amendoim torrado	187
Quiabo	146
Manjericão	115,6
Gengibre cru	115,03
Salsa crua	100
Alho-poró	89
Couve	74
Batata doce	56
Escarola	31
Farinha de trigo integral	25,03
Folhas de dente-de-leão	24,6
Abóbora	22
Pão de trigo integral	20,9
Aipo	20
Semente de girassol descascada	18,9
Beringela	18
Feijão verde cozido	15
Frutas silvestres (amora, framboesa...)	14 a 88
Agrião	10
Orégano seco	8,58
Lentilha cozida	8,48
Arroz integral cozido	6,54
Aspargo	5,2
Tofu cru, firme	5,08
Pão branco	4,9
Ervilhas cozidas	4,83
Cevada cozida	3,46
Alface	3
Cebola cozida	3
Cogumelos	2
Tomate cru	2
Cebolinha	1,1
Pepino cru	1
Nabo cozido	1
Chás de saquinho (infusão por 5 min)	0,63 a 19,26
Café preto fervido	0,61
Leite integral	0,54
Rabanete	0,3
Leite	0,15
Coca-cola	0,1
Frutas	0 a 10
Carnes (boi, frango, peixe e porco)	0 a 7,1
Manteiga e margarina	0
Brócolis cozidos	0
Couve-de-bruxelas cozida	0
Repolho cozido	0
Couve-flor cozida	0
Batata-inglesa cozida	0

Fonte: Adaptado de Shils ME et *al*. Modern nutrition in health and disease. Baltimore: Williams & Wilkins, 1999. p. A-199-202.

não conseguiram comprovar que isso ocorre. Mesmo assim, achamos prudente adotar essa medida na prevenção dos cálculos compostos por oxalato.

Conclusões

O uso de alimentos integrais promove diversos benefícios à saúde. No entanto, os alimentos integrais contêm fitato, que pode reduzir a absorção de zinco, ferro e cálcio. Esse efeito pode ser anulado ou reduzido pelos métodos descritos e é prudente utilizá-los quando se faz uso de alimentos integrais (como é preconizado).

A recomendação é deixar os grãos em processo de germinação de 12 a 24 horas. Esse tempo inclui o de imersão na água.

Devemos ingerir menos oxalato para otimizar a absorção do cálcio.

A maneira mais prática de ingerir menos oxalato é escolhendo alimentos com pouco oxalato! Veja a tabela **Teor de oxalato nos alimentos.**

bibliografia

Capítulo 1 – Introdução

• Larsson CL, Johansson GK. Young Swedish vegans have different sources of nutrients than young omnivores. J Am Diet Assoc. 2005;105(9):1438-41.

• Davey GK, Spencer EA, Appleby PN, Allen NE, Knox KH, Key TJ. EPIC-Oxford: lifestyle characteristics and nutrient intakes in a cohort of 33 883 meat-eaters and 31 546 non meat-eaters in the UK. Public Health Nutr. 2003;6(3):259-69.

• Larsson CL, Johansson GK. Dietary intake and nutritional status of young vegans and omnivores in Sweden. Am J Clin Nutr. 2002;76(1):100-6.

• Haddad EH, Berk LS, Kettering JD, Hubbard RW, Peters WR. Dietary intake and biochemical, hematologic, and immune status of vegans compared with nonvegetarians. Am J Clin Nutr. 1999;70(3 Suppl):586S-593S.

• Millet P, Guilland JC, Fuchs F, Klepping J. Nutrient intake and vitamin status of healthy French vegetarians and nonvegetarians. Am J Clin Nutr. 1989;50(4):718-27.

• Institute of Medicine of the National Academies. Dietary Reference Intakes. Elements. Disponível em: http://www.iom.edu/Object.File/Master/7/294/Webtableminerals.pdf. Acessado em: 2006 (Jun 27).

• Institute of Medicine of the National Academies. Dietary Reference Intakes. Vitamins. Disponível em: http://www.iom.edu/Object.File/Master/7/296/webtablevitamins.pdf. Acessado em: 2006 (Jun 27).

• The National Academies Press. Dietary Reference Intakes for Energy, Carbohydrate, Fiber, Fat, Fatty Acids, Cholesterol, Protein, and Amino Acids (Macronutrients) (2005). Disponível em: http://fermat.nap.edu/books/0309085373/html. Acessado em: 2006 (Jun 27).

• Coutinho V, Cozzolino SMF. Castanha-do-pará supre necessidades orgânicas de selênio. Disponível em: http://www.usp.br/agen/bols/2000/rede599.htm. Acessado em: 2006 (Jun 27).

• Marques CG. Qual é a ingestão ideal diária de sal? Disponível em: http://www.nutritotal.com.br/perguntas/?acao=bu&id=324&categoria=1. Acessado em: 2006 (Jun 27).

• Brasil. Ministério da Saúde. Agência Nacional de Vigilância Sanitária. Resolução RDC no 32, de 25 de fevereiro de 2003. Considera próprio para consumo humano, somente o sal que contiver teor igual ou superior a 20 (vinte) miligramas até o limite máximo de 60 (sessenta) miligramas de iodo por quilograma de produto. D.O.U. - Diário Oficial da União; Poder Executivo, de 26 de fevereiro de 2003. Disponível em: http://e-legis.bvs.br/leisref/public/showAct.php?id=7868&word=. Acessado em: 2006 (Jun 27).

• The National Academies Press. Dietary Reference for Water, Potassium, Sodium, Chloride, and Sulfate. Disponível em: http://www.nap.edu/catalog/10925.html. Acessado em: 2006 (Jun 27).

Capítulo 2 – Refeição vegetariana

• Brasil. Ministério da Saúde. Secretaria de Atenção à Saúde. Coordenação-Geral da Política de Alimentação e Nutrição. Guia alimentar para a população brasileira. Promovendo a alimentação saudável. Disponível em: http://dtr2004.saude.gov.br/nutricao/documentos/guia_alimentar_conteudo.pdf. Acessado em: 2006 (Jun 30).

• Brasil. Ministério da Saúde. Ministério do Desenvolvimento Social e Combate à Fome/Universidade Estadual de Campinas (Unicamp). Tabela Brasileira de Composição de Alimentos. Disponível em: http://www.unicamp.br/nepa/taco/contar/tabela1_pdf.pdf. Acessado em: 2006 (Jun 27).

• United States Department of Agriculture. MyPyramid.gov. Inside the pyramid. Vegetarian choices in the meat & beans group. Disponível em: http://www.mypyramid.gov/pyramid/vegetarian.html . Acessado em: 2006 (28 Jun).

• Salatino A, Kraus JE, Solózano-Filho JA. Que parte das plantas aproveitamos em nossa alimentação. In: Carlota AR, editor. Importância de alimentos vegetais na proteção da saúde: fisiologia da nutrição protetora e preventiva de enfermidades degenerativas. São Paulo: Atheneu; 2001. p. 55-74.

• Messina V, Melina V, Mangels AR. A new food guide for North American vegetarians. J Am Diet Assoc. 2003;103(6):771-5.

• Sítio vegetariano. Atletas vegetarianos. Disponível em: http://www.vegetarianismo.com.br/esportes/atletas-veg.html. Acessado em: 2006 (Jun 27).

• Fisberg RM, Marchioni DML, Slater B. Recomendações nutricionais. In: Fisberg RM, Slater B, Marchioni DML, Martini LA, editores. Inquéritos Alimentares - Métodos e Bases Científicos. Barueri: Manole; 2005. p. 190-236.

• United States Department of Agriculture. MyPyramid.gov. Inside the pyramid. How many grain foods are needed daily? Disponível em: http://www.mypyramid.gov/pyramid/grains_amount.aspx. Acessado em: 2006 (Jun 27).

Capítulo 3 – Ferro

• Lopez MA, Martos FC. Iron availability: An updated review. Int J Food Sci Nutr. 2004;55(8):597-606.

• Hallberg L, Hulthen L. Perspectives on iron absorption. Blood Cells Mol Dis. 2002;29(3):562-73.

• World Health Organization. Micronutrient deficiencies. Iron deficiency anaemia. Disponível em: http://www.who.int/nutrition/topics/ida/en/. Acessado em: 2006 (Jun 27).

• Figueiredo MS, Kerbauy J. Anemias. In: Borges DR, Rothschild HA, org. Atualização terapêutica. São Paulo: Artes Médicas; 2003. p. 703-7.

• Teucher B, Olivares M, Cori H. Enhancers of iron absorption: ascorbic acid and other organic acids. Int J Vitam Nutr Res. 2004;74(6):403-19.

• Roughead ZK, Zito CA, Hunt JR. Inhibitory effects of dietary calcium on the initial uptake and subsequent retention of heme and nonheme iron in humans: comparisons using an intestinal lavage method. Am J Clin Nutr. 2005;82(3):589-97.

• Fischer Walker C, Kordas K, Stoltzfus RJ, Black RE. Interactive effects of iron and zinc on biochemical and functional outcomes in supplementation trials. Am J Clin Nutr. 2005;82(1):5-12.

• Roe MA, Heath AL, Oyston SL, Macrow C, Hoogewerff JA, Foxall R, et al. Iron absorption in male C282Y heterozygotes. Am J Clin Nutr. 2005;81(4):814-21.

• Davidsson L, Ziegler E, Zeder C, Walczyk T, Hurrell R. Sodium iron EDTA [NaFe(III)EDTA] as a food fortificant: erythrocyte incorporation of iron and apparent absorption of zinc, copper, calcium, and magnesium from a complementary food based on wheat and soy in healthy infants. Am J Clin Nutr. 2005;81(1):104-9.

• Hunt JR, Roughead ZK. Nonheme-iron absorption, fecal ferritin excretion, and blood indexes of iron status in women consuming controlled lactoovovegetarian diets for 8 wk. Am J Clin Nutr. 1999;69(5):944-52.

• Hunt JR. Bioavailability of iron, zinc, and other trace minerals from vegetarian diets. Am J Clin Nutr. 2003;78(3 Suppl):633S-639S.

• Fairweather-Tait SJ, Teucher B. Iron and calcium bioavailability of fortified foods and dietary supplements. Nutr Rev. 2002;60(11):360-7.

• Hunt JR. Moving toward a plant-based diet: are iron and zinc at risk? Nutr Rev. 2002;60(5 Pt 1):127-34.

• Huang YC. Nutrient intakes and iron status of vegetarians. Nutrition. 2000;16(2):147-8.

• Tapiero H, Gate L, Tew KD. Iron: deficiencies and requirements. Biomed Pharmacother. 2001;55(6):324-32.

• Conrad ME, Umbreit JN, Moore EG. Iron absorption and transport. Am J Med Sci. 1999;318(4):213-29.

• Lynch SR. Interaction of iron with other nutrients. Nutr Rev. 1997;55(4):102-10.

• Papanikolaou G, Pantopoulos K. Iron metabolism and toxicity. Toxicol Appl Pharmacol. 2005;202(2):199-211.

• Gibson GR, Beatty ER, Wang X, Cummings JH. Selective stimulation of bifidobacteria in the human colon by oligofructose and inulin. Gastroenterology. 1995;108(4):975-82.

• Brasil. Ministério da Saúde. Agência Nacional de Vigilância Sanitária. Portaria no 14, de 03 de janeiro de 2002. Institui a Comissão Interinstitucional de condução e implementação das ações de fortificação de farinhas de trigo e de milho e seus subprodutos com o objetivo. D.O.U. - Diário Oficial da União; Poder Executivo, de 08 de janeiro de 2002. Disponível em: http://e-legis.anvisa.gov.br/leisref/public/showAct.php?id=6229&word=. Acessado em: 2006 (27 Jun).

• Brasil. Ministério da Saúde. Agência Nacional de Vigilância Sanitária. Resolução RDC no 344, de 13 de dezembro de 2002. Aprova o Regulamento Técnico para a Fortificação das Farinhas de Trigo e das Farinhas de Milho com Ferro e Ácido Fólico , constante do anexo desta Resolução. D.O.U. - Diário Oficial da União; Poder Executivo, de 18 de dezembro de 2002. Disponível em: http://e-legis.anvisa.gov.br/leisref/public/showAct.php?id=1679&word=. Acessado em: 2006 (27 Jun).

• Quintaes KD, Amaya-Farfan J, Tomazini FM, Morgano MA, Mantovani DMB. Migração de minerais de panelas brasileiras de aço inoxidável, ferro fundido e pedra-sabão (esteatito) para simulantes de alimentos. [Mineral migration from stainless steel, cast iron and soapstone pans (steatite) onto a food simulants]. Ciênc Tecnol Aliment. 2004;24(3):397-402.

• Brasil. Ministério da Saúde. Ministério do Desenvolvimento Social e Combate à Fome/Universidade Estadual de Campinas (Unicamp). Tabela Brasileira de Composição de Alimentos. Disponível em: http://www.unicamp.br/nepa/taco/contar/tabela1_pdf.pdf. Acessado em: 2006 (Jun 27).

• Hambraeus L. Animal- and plant-food-based diets and iron status: benefits and costs. Proc Nutr Soc. 1999;58(2):235-42.

• Dietary Guidelines for Americans 2005. Appendix b. food sources of selected nutrients. Appendix B-9. Food Sources of Vitamin C. Disponível em: http://www.health.gov/dietaryguidelines/dga2005/document/html/appendixB.htm#AppB9. Acessado em: 2006 (27 Jun).

Capítulo 4 – Zinco

• Hunt JR. Bioavailability of iron, zinc, and other trace minerals from vegetarian diets. Am J Clin Nutr. 2003;78(3 Suppl):633S-639S.

• Hambidge M. Human zinc deficiency. J Nutr. 2000;130(5S Suppl):1344S-9S.

• Lonnerdal B. Dietary factors influencing zinc absorption. J Nutr. 2000;130(5S Suppl):1378S-83S.

• Fischer Walker C, Black RE. Zinc and the risk for infectious disease. Annu Rev Nutr. 2004;24:255-75.

• Dardenne M. Zinc and immune function. Eur J Clin Nutr. 2002;56 Suppl 3:S20-3.

• Hunt JR. Moving toward a plant-based diet: are iron and zinc at risk? Nutr Rev. 2002;60(5 Pt 1):127-34.

• Joint FAO/WHO Expert Consultation. Zinc. In: Joint FAO/WHO Expert Consultation. Vitamin and mineral requirements in human nutrition. 2nd ed. Bangkok: World Health Organization; 1998. p. 230-45. Disponível em: http://whqlibdoc.who.int/publications/2004/9241546123_chap12.pdf. Acessado em: 2006 (28 Jun).

• Brasil. Ministério do Planejamento, Orçamento e Gestão. Instituto Brasileiro de Geografia e Estatística — IBGE. Diretoria de Pesquisas. Coordenação de Índices de Preços. Pesquisa de Orçamentos Familiares 2002-2003. Análise da disponibilidade domiciliar de alimentos e do estado nutricional do Brasil. Rio de Janeiro: Instituto Brasileiro de Geografia e Estatística — IBGE; 2004. Disponível em: http://www.ibge.gov.br/home/estatistica/populacao/condicaodevida/pof/2002analise/pof2002analise.pdf. Acessado em: 2006 (28 Jun).

Capítulo 5 – Cálcio

• Weaver CM, Proulx WR, Heaney R. Choices for achieving adequate dietary calcium with a vegetarian diet. Am J Clin Nutr. 1999;70(3 Suppl):543S-548S.

• Bronner F, Pansu D. Nutritional aspects of calcium absorption. J Nutr. 1999;129(1):9-12.

• Cashman K. Prebiotics and calcium bioavailability. Curr Issues Intest Microbiol. 2003;4(1):21-32.

• Bronner F. Calcium nutrition and metabolism. Dent Clin North Am. 2003;47(2):209-24.

• Fishbein L. Multiple sources of dietary calcium-some aspects of its essentiality. Regul Toxicol Pharmacol. 2004;39(2):67-80.

• Kerstetter JE, O'Brien KO, Insogna KL. Dietary protein, calcium metabolism, and skeletal homeostasis revisited. Am J Clin Nutr. 2003;78(3 Suppl):584S-592S.

• Weaver CM, Liebman M. Biomarkers of bone health appropriate for evaluating functional foods designed to reduce risk of osteoporosis. Br J Nutr. 2002;88 Suppl 2:S225-32.

• Cashman KD. Calcium intake, calcium bioavailability and bone health. Br J Nutr. 2002;87 Suppl 2:S169-77.

• Gueguen L, Pointillart A. The bioavailability of dietary calcium. J Am Coll Nutr. 2000;19(2 Suppl):119S-136S.

• Fairweather-Tait SJ, Teucher B. Calcium bioavailability in relation to bone health. Int J Vitam Nutr Res. 2002;72(1):13-8.

• Zittermann A. Effects of vitamin K on calcium and bone metabolism. Curr Opin Clin Nutr Metab Care. 2001;4(6):483-7.

• Walters JR. The role of the intestine in bone homeostasis. Eur J Gastroenterol Hepatol. 2003;15(8):845-9.

• Coxam V. Inulin-type fructans and bone health: state of the art and perspectives in the management of osteoporosis. Br J Nutr. 2005;93 Suppl 1:S111-23.

• Lovelace HY, Barr SI. Diagnosis, symptoms, and calcium intakes of individuals with self-reported lactose intolerance. J Am Coll Nutr. 2005;24(1):51-7.

• Kerstetter JE, O'Brien KO, Caseria DM, Wall DE, Insogna KL. The impact of dietary protein on calcium absorption and kinetic measures of bone turnover in women. J Clin Endocrinol Metab. 2005;90(1):26-31.

• New SA. Do vegetarians have a normal bone mass? Osteoporos Int. 2004;15(9):679-88.

• Kohlenberg-Mueller K, Raschka L. Calcium balance in young adults on a vegan and lactovegetarian diet. J Bone Miner Metab. 2003;21(1):28-33.

• Fairweather-Tait SJ, Teucher B. Iron and calcium bioavailability of fortified foods and dietary supplements. Nutr Rev. 2002;60(11):360-7.

• Mei J, Yeung SS, Kung AW. High dietary phytoestrogen intake is associated with higher bone mineral density in postmenopausal but not premenopausal women. J Clin Endocrinol Metab. 2001;86(11):5217-21.

• Pinto Neto AM, Soares A, Urbanetz AA, Souza ACA, Ferrari AEM, Amaral B, et al. Consenso brasileiro de osteoporose 2002. [Brazilian consensus on osteoporosis 2002]. Rev Bras Reumatol. 2002;42(6):343-54.

• Pereira Filho D, Furlan SA. Prevalência de intolerância à lactose em função da faixa etária e do sexo: experiência do Laboratório Dona Francisca, Joinville (SC). Revista Saúde e Ambiente/Health and Environment Journal. 2004;5(1):24-30.

• Hashimoto LA, Nunes EFPA. Osteoporose nas unidades básicas de saúde: conhecimento e práticas preventivas na visão das coordenadoras no município de Cianorte, Paraná. Osteoporosis on the health basic units: knowledge and preventive practices in the view of the coordinators in Cianorte city, state of Paraná, Brazil. Revista Espaço para a Saúde, Londrina. 2005;7(1):1-9.

• Reis JC, Morais MB, Fagundes-Neto U. Teste do H2 no ar expirado na avaliação de absorção de lactose e sobrecrescimento bacteriano no intestino delgado de escolares. [Breath hydrogen test to evaluate lactose absorption and small bowel bacterial overgrowth in children]. Arq Gastroenterol. 1999;36(4):169-76.

• Costa-Paiva L, Horovitz AP, Santos AO, Fonsechi-Carvasan GA, Pinto-Neto AM. Prevalência de osteoporose em mulheres na pós-menopausa e associação com fatores clínicos e reprodutivos. [Prevalence of osteoporosis in postmenopausal women and association with clinical and reproductive factors]. Rev Bras Ginecol Obstet. 2003;25(7):507-12.

• da Silveira TR, Pretto FM. Estado nutricional e teste do hidrogênico no ar expirado com lactose e lactulose em crianças. [Nutritional status and breath hydrogen test with lactose and lactulose in children]. J Pediatr (Rio J). 2002;78(2):89-90.

• Alves GM, de Moraes MB, Fagundes-Neto U. Estado nutricional e teste do hidrogênio no ar expirado com lactose e lactulose em crianças indígenas terenas. [Nutritional status and breath hydrogen test with lactose and lactulose in Terena Indian children]. J Pediatr (Rio J). 2002;78(2):113-9.

Capítulo 6 – Vitamina B12

• Antony AC. Vegetarianism and vitamin B-12 (cobalamin) deficiency. Am J Clin Nutr. 2003;78(1):3-6.

• Stabler SP, Allen RH. Vitamin B12 deficiency as a worldwide problem. Annu Rev Nutr. 2004;24:299-326.

• Croft MT, Lawrence AD, Raux-Deery E, Warren MJ, Smith AG. Algae acquire vitamin B12 through a symbiotic relationship with bacteria. Nature. 2005;438(7064):90-3.

• Watanabe F, Takenaka S, Kittaka-Katsura H, Ebara S, Miyamoto E. Characterization and bioavailability of vitamin B12-compounds from edible algae. J Nutr Sci Vitaminol (Tokyo). 2002;48(5):325-31.

• Hu FB, Willett WC. Optimal diets for prevention of coronary heart disease. JAMA. 2002;288(20):2569-78.

• Markle HV. Cobalamin. Crit Rev Clin Lab Sci. 1996;33(4):247-356.

• Alpers DH. What is new in vitamin B(12)? Curr Opin Gastroenterol. 2005;21(2):183-6.

• Hoffbrand V, Provan D. ABC of clinical haematology. Macrocytic anaemias. BMJ. 1997;314(7078):430-3.

• Snow CF. Laboratory diagnosis of vitamin B12 and folate deficiency: a guide for the primary care physician. Arch Intern Med. 1999;159(12):1289-98.

• Rogers LM, Boy E, Miller JW, Green R, Rodriguez M, Chew F, Allen LH. Predictors of cobalamin deficiency in Guatemalan school children: diet, Helicobacter pylori, or bacterial overgrowth? J Pediatr Gastroenterol Nutr. 2003;36(1):27-36.

• Shuval-Sudai O, Granot E. An association between Helicobacter pylori infection and serum vitamin B12 levels in healthy adults. J Clin Gastroenterol. 2003;36(2):130-3.

• Howden CW. Vitamin B12 levels during prolonged treatment with proton pump inhibitors. J Clin Gastroenterol. 2000;30(1):29-33.

• Venti CA, Johnston CS. Modified food guide pyramid for lactovegetarians and vegans. J Nutr. 2002;132(5):1050-4.

• Desouza C, Keebler M, McNamara DB, Fonseca V. Drugs affecting homocysteine metabolism: impact on cardiovascular risk. Drugs. 2002;62(4):605-16.

• Ravaglia G, Forti P, Maioli F, Martelli M, Servadei L, Brunetti N, et al. Homocysteine and folate as risk factors for dementia and Alzheimer disease. Am J Clin Nutr. 2005;82(3):636-43.

• Nallamothu BK, Fendrick AM, Omenn GS. Homocyst(e)ine and coronary heart disease: pharmacoeconomic support for interventions to lower hyperhomocyst(e)inaemia. Pharmacoeconomics. 2002;20(7):429-42.

• Bissoli L, Di Francesco V, Ballarin A, Mandragona R, Trespidi R, Brocco G, et al. Effect of vegetarian diet on homocysteine levels. Ann Nutr Metab. 2002;46(2):73-9.

• Russell RM, Baik HW. Clinical implications of vitamin B12 deficiency in the elderly. Nutr Clin Care. 2001;4(4):214-20.

• Koebnick C, Hoffmann I, Dagnelie PC, Heins UA, Wickramasinghe SN, Ratnayaka ID, et al. Long-term ovo-lacto vegetarian diet impairs vitamin B-12 status in pregnant women. J Nutr. 2004;134(12):3319-26.

• Garcia A, Zanibbi K. Homocysteine and cognitive function in elderly people. CMAJ. 2004;171(8):897-904.

• Andres E, Loukili NH, Noel E, Kaltenbach G, Abdelgheni MB, Perrin AE, et al. Vitamin B12 (cobalamin) deficiency in elderly patients. CMAJ. 2004 Aug 3;171(3):251-9.

• Herrmann W, Geisel J. Vegetarian lifestyle and monitoring of vitamin B-12 status. Clin Chim Acta. 2002;326(1-2):47-59.

• Donaldson MS. Metabolic vitamin B12 status on a mostly raw vegan diet with follow-up using tablets, nutritional yeast, or probiotic supplements. Ann Nutr Metab. 2000;44(5-6):229-34.

• Krajcovicova-Kudlackova M, Blazicek P, Babinska K, Kopcova J, Klvanova J, Bederova A, et al. Traditional and alternative nutrition—levels of homocysteine and lipid parameters in adults. Scand J Clin Lab Invest. 2000;60(8):657-64.

• Figueiredo MS, Kerbauy J. Anemias. In: Borges DR, Rothschild HA, org. Atualização terapêutica. São Paulo: Artes Médicas; 2003. p. 703-7.

Capítulo 7 – Ômega 3

• Rosell MS, Lloyd-Wright Z, Appleby PN, Sanders TA, Allen NE, Key TJ. Long-chain n-3 polyunsaturated fatty acids in plasma in British meat-eating, vegetarian, and vegan men. Am J Clin Nutr. 2005;82(2):327-34.

• Weiss LA, Barrett-Connor E, von Muhlen D. Ratio of n-6 to n-3 fatty acids and bone mineral density in older adults: the Rancho Bernardo Study. Am J Clin Nutr. 2005;81(4):934-8.

• Wijendran V, Hayes KC. Dietary n-6 and n-3 fatty acid balance and cardiovascular health. Annu Rev Nutr. 2004;24:597-615.

• Simopoulos AP. Omega-3 fatty acids and antioxidants in edible wild plants. Biol Res. 2004;37(2):263-77.

• Davis BC, Kris-Etherton PM. Achieving optimal essential fatty acid status in vegetarians: current knowledge and practical implications. Am J Clin Nutr. 2003;78(3 Suppl):640S-646S.

• Calder PC, Grimble RF. Polyunsaturated fatty acids, inflammation and immunity. Eur J Clin Nutr. 2002;56 Suppl 3:S14-9.

• Simopoulos AP. Omega-3 fatty acids in inflammation and autoimmune diseases. J Am Coll Nutr. 2002;21(6):495-505.

• Stuchlik M, Zak S. Vegetable lipids as components of functional foods. Biomed Pap Med Fac Univ Palacky Olomouc Czech Repub. 2002;146(2):3-10.

• Pereira C, Li D, Sinclair AJ. The alpha-linolenic acid content of green vegetables commonly available in Australia. Int J Vitam Nutr Res. 2001;71(4):223-8.

• Mezzano D, Kosiel K, Martinez C, Cuevas A, Panes O, Aranda E, et al. Cardiovascular risk factors in vegetarians. Normalization of hyperhomocysteinemia with vitamin B(12) and reduction of platelet aggregation with n-3 fatty acids. Thromb Res. 2000;100(3):153-60.

• Crawford M, Galli C, Visioli F, Renaud S, Simopoulos AP, Spector AA. Role of plant-derived omega-3 fatty acids in human nutrition. Ann Nutr Metab. 2000;44(5-6):263-5.

• Li D, Sinclair A, Wilson A, Nakkote S, Kelly F, Abedin L, et al. Effect of dietary alpha-linolenic acid on thrombotic risk factors in vegetarian men. Am J Clin Nutr. 1999;69(5):872-82.

• Conquer JA, Holub BJ. Supplementation with an algae source of docosahexaenoic acid increases (n-3) fatty acid status and alters selected risk factors for heart disease in vegetarian subjects. J Nutr. 1996;126(12):3032-9.

Capítulo 8 – Vitamina D

• Tangpricha V, Turner A, Spina C, Decastro S, Chen TC, Holick MF. Tanning is associated with optimal vitamin D status (serum 25-hydroxyvitamin D concentration) and higher bone mineral density. Am J Clin Nutr. 2004;80(6):1645-9.

• Berry JL, Davies M, Mee AP. Vitamin D metabolism, rickets, and osteomalacia. Semin Musculoskelet Radiol. 2002;6(3):173-82.

• Whiting SJ, Calvo MS. Dietary recommendations for vitamin D: a critical need for functional end points to establish an estimated average requirement. J Nutr. 2005;135(2):304-9.

• Calvo MS, Whiting SJ, Barton CN. Vitamin D intake: a global perspective of current status. J Nutr. 2005;135(2):310-6.

• Whiting SJ, Calvo MS. Dietary recommendations to meet both endocrine and autocrine needs of Vitamin D. J Steroid Biochem Mol Biol. 2005;97(1-2):7-12.

• Bischoff-Ferrari HA, Willett WC, Wong JB, Giovannucci E, Dietrich T, Dawson-Hughes B. Fracture prevention with vitamin D supplementation: a meta-analysis of randomized controlled trials. JAMA. 2005;293(18):2257-64.

• Bischoff-Ferrari HA, Dawson-Hughes B, Willett WC, Staehelin HB, Bazemore MG, Zee RY, et al. Effect of Vitamin D on falls: a meta-analysis. JAMA. 2004;291(16):1999-2006.

• Mastaglia SR, Mautalen CA, Parisi MS, Oliveri B. Vitamin D2 dose required to rapidly increase 25OHD levels in osteoporotic women. Eur J Clin Nutr. 2006;60(5):681-7.

Capítulo 9 – Proteínas

• Rand WM, Pellett PL, Young VR. Meta-analysis of nitrogen balance studies for estimating protein requirements in healthy adults. Am J Clin Nutr. 2003;77(1):109-27.

• The National Academies Press. Protein and Amino Acids. In: The National Academies Press. Dietary Reference Intakes for Energy, Carbohydrate, Fiber, Fat, Fatty Acids, Cholesterol, Protein, and Amino Acids (Macronutrients) (2005). Disponível em: http://darwin.nap.edu/books/0309085373/html/589.html. Acessado em: 2006 (Jun 27).

• Young VR, Pellett PL. Plant proteins in relation to human protein and amino acid nutrition. Am J Clin Nutr. 1994;59(5 Suppl):1203S-1212S.

• McDougall J. Plant foods have a complete amino acid composition. Circulation. 2002;105(25):e197.

• Kunkel ME, Beauchene RE. Protein intake and urinary excretion of protein-derived metabolites in aging female vegetarians and nonvegetarians. J Am Coll Nutr. 1991;10(4):308-14.

• Millward DJ. The nutritional value of plant-based diets in relation to human amino acid and protein requirements. Proc Nutr Soc. 1999;58(2):249-60.

• Read RSD. Macronutrient innovations and their educational implications: proteins, peptides and amino acids. Asia Pacific J Clin Nutr. 2002;11(S6):S174-S183. Disponível em: http://www.healthyeatingclub.com/APJCN/Volume11/vol11sup6/S174.pdf. Acessado em: 2006 (28 Jun).

• Millward DJ, Jackson AA. Protein/energy ratios of current diets in developed and developing countries compared with a safe protein/energy ratio: implications for recommended protein and amino acid intakes. Public Health Nutr. 2004;7(3):387-405.

• Martin A, Touvier M, Volatier JL. The basis for setting the upper range of adequate intake for regulation of macronutrient intakes, especially amino acids. J Nutr. 2004;134(6 Suppl):1625S-1629S; discussion 1630S-1632S, 1667S-1672S.

• Mills EN, Breiteneder H. Food allergy and its relevance to industrial food proteins. Biotechnol Adv. 2005;23(6):409-14.

Capítulo 10 – Fatores antinutricionais

• Zhou JR, Erdman JW Jr. Phytic acid in health and disease. Crit Rev Food Sci Nutr. 1995;35(6):495-508.

• Ruel MT, Bouis HE. Plant breeding: a long-term strategy for the control of zinc deficiency in vulnerable populations. Am J Clin Nutr. 1998;68 (2 Suppl):488S-494S.

• Gibson RS, Yeudall F, Drost N, Mtitimini B, Cullinan T. Dietary interventions to prevent zinc deficiency. Am J Clin Nutr. 1998;68(2 Suppl):484S-487S.

• Lopez HW, Leenhardt F, Coudray C, Remesy C. Minerals and phytic acid interactions: is it a real problem for human nutrition? International Journal of Food Science & Technology. 2002;37(7):727-39.

• Raboy V. Progress in breeding low phytate crops. J Nutr. 2002;132(3):503S-505S.

• Minihane AM, Rimbach G. Iron absorption and the iron binding and anti-oxidant properties of phytic acid. International Journal of Food Science & Technology. 2002;37(7):741-8.

• Sandberg AS. Bioavailability of minerals in legumes. Br J Nutr. 2002;88 Suppl 3:S281-5.

• Hurrell RF. Influence of vegetable protein sources on trace element and mineral bioavailability. J Nutr. 2003;133(9):2973S-7S.

• Famularo G, De Simone C, Pandey V, Sahu AR, Minisola G. Probiotic lactobacilli: an innovative tool to correct the malabsorption syndrome of vegetarians? Med Hypotheses. 2005;65(6):1132-5.

• Reynolds TM. ACP Best Practice No 181: Chemical pathology clinical investigation and management of nephrolithiasis. J Clin Pathol. 2005;58(2):134-40.

• Fishbein L. Multiple sources of dietary calcium-some aspects of its essentiality. Regul Toxicol Pharmacol. 2004;39(2):67-80.

• Champ MM. Non-nutrient bioactive substances of pulses. Br J Nutr. 2002;88 Suppl 3:S307-19.

• Sandberg AS. Bioavailability of minerals in legumes. Br J Nutr. 2002;88 Suppl 3:S281-5.

• Shils ME, Olson JA, Shike M, Ross AC. Modern nutrition in health and disease. Baltimore: Williams & Wilkins; 1999.

• Cuppari L, Avesani CM, Mendonça COG, Martini LA, Monte JCM. Doenças renais. In: Cuppari L. Nutrição clínica no adulto. 2a ed. Barueri: Manole; 2005. p 167-99.